D0115765

Querida Stephanita,

Deseamos que estas historias te motiven a ser perseverante, valiente, honesta, amable, generosa, y feliz

con amor

tu abuela Livia. y Gabriela

Julio, 2012

Charlotte F. Lessa

El maravilloso mundo de LA BIBLIA para los niños

Ilustraciones:
João Luiz Cardozo
Hugo O. Primucci

Título del original: *O Mundo Maravilhoso da Biblia para Crianças,* Casa Publicadora Brasileira, Tatuí, São Paulo, Brasil, 1999.

Dirección editorial: Aldo D. Orrego (ACES)
Redactores: Rubem M. Scheffel, Sueli F. Oliveira (CPB)
Traducción: Déa de Pereira (ACES)
Diagramación: João Luiz Cardozo (CPB) Manoel A. Silva (CPB)
Viviana de Niedrhans, Ivonne Leichner de Schmidt (ACES)
Tapa e ilustraciones: João Luiz Cardozo (CPB) Hugo O. Primucci (ACES)

IMPRESO EN LA ARGENTINA
Printed in Argentina

Primera edición
Octava reimpresión
MMX - 25M

Es propiedad. © Casa Publicadora Brasileira (1999).
© ACES (2001).
Queda hecho el depósito que marca la ley 11.723.

ISBN 978-950-573-840-3

Lessa, Charlotte
El maravilloso mundo de la Biblia para los niños / Charlotte Lessa / Ilustrado por Hugo O. Primucci y João Luiz Cardozo - 1ª ed., 8ª reimp. - Florida : Asociación Casa Editora Sudamericana, 2010.
455 p. ; il. ; 19 x 16 cm.

Traducido por: Déa de Pereira

ISBN 978-950-573-840-3

1. Biblia para niños. I. Primucci, Hugo O., ilus. II. Cardozo, João Luiz, ilus. III. Pereira, Déa de, trad. IV. Título.
CDD 220.54

Se terminó de imprimir el 04 de agosto de 2010 en talleres propios (Av. San Martín 4555, B1604CDG, Florida Oeste, Buenos Aires).

Prohibida la *reproducción total* o *parcial* de esta publicación (texto, imágenes y diseño), su manipulación informática y transmisión ya sea electrónica, mecánica, por fotocopia u otros medios, sin permiso previo del editor.

-104623-

Este libro presenta, de manera simple, creativa, alegre, solemne y colorida, las más emocionantes historias de todos los tiempos: las historias de la Biblia.

Por su lenguaje fácil y accesible, ellas te traerán mucha emoción y, por encima de todo, la seguridad de que este mundo, un día, será restaurado por el poder divino.

¡Que Dios te ayude a realizar un feliz y emocionante viaje, del Génesis al Apocalipsis!

ÍNDICE

ANTIGUO TESTAMENTO

NUEVO TESTAMENTO

ANTIGUO
TESTAMENTO

El ángel que cambió de nombre

(Ezequiel 28:12-15; Isaías 14:13-15; Apocalipsis 12:7-9)

Él era muy lindo. Perfecto. Lucifer era el más importante de todos los ángeles del Cielo, pues todos los días estaba cerquita de Dios.

Un día, de alguna manera, él empezó a creerse muy lindo. Él ya no quería más ser sólo un ángel. Quería ser igual a Dios.

—¡No hagas eso, Lucifer! —decía Jesús.

—¡No hagas eso, Lucifer! —decían los ángeles buenos.

Pero Lucifer no quiso oír.

—¡Vete, Lucifer! —dijo Jesús.
—¡Vete, Lucifer! —dijeron los ángeles buenos.
Y echaron a Lucifer del Cielo. Se fue y muchos ángeles lo siguieron. Ángeles que tampoco querían el Cielo y a Jesús.
¡Qué lástima! Lucifer tuvo que cambiar de nombre. Pasó a llamarse Satanás.

Jesús en acción
(Juan 1:1-3; Génesis 1 y 2)

Al principio de la historia de la Tierra, Jesús estaba con Dios. Jesús era Dios. Jesús creó todas las cosas. Así fue como Jesús creó todas las cosas.

La Tierra no era ni redonda, ni cuadrada. No tenía forma, ni color, ni luz. Sólo tenía agua. Jesús habló:
—¡Aparezca la luz!

Y apareció la luz. La luz recibió el nombre de *Día* y lo oscuro recibió el nombre de *Noche*. Este fue el primer día de la Tierra.

—¡Hay demasiada agua! Separaré las aguas —dijo Jesús.

Primero él mandó aparecer el cielo azul lleno de aire para que podamos respirar; después separó las aguas. Puso nubes llenas de agua en el cielo, y dejó agua suficiente en la Tierra. Este fue el segundo día de la Tierra.

—Ahora haré una parte
seca y la separaré del agua
—dijo Jesús en el tercer día.

Y cuando él habló, la parte seca apareció y el agua se juntó en otro lugar. La parte seca recibió el nombre de *Tierra* y la porción de agua recibió el nombre de *Mares*. Y Jesús vio que eso era bueno.

—La Tierra necesita ser hermosa —dijo Jesús, y agregó—: Aparezca el pasto verde, los naranjales que den naranjas, los manzanos que den manzanas, los durazneros que den duraznos... Aparezcan las rosas, los lirios, los claveles...

Y mientras hablaba, las cosas aparecían. Fue el tercer día.

—Aparezca la Luna, plateada y redonda, para iluminar la noche —dijo Jesús—. Y junto con la Luna aparezcan las estrellas. Para iluminar el día, quiero que aparezca una estrella muy grande y brillante. Ella se llamará Sol.

Jesús puso todo eso en el cielo y quedó satisfecho. Este fue el cuarto día.

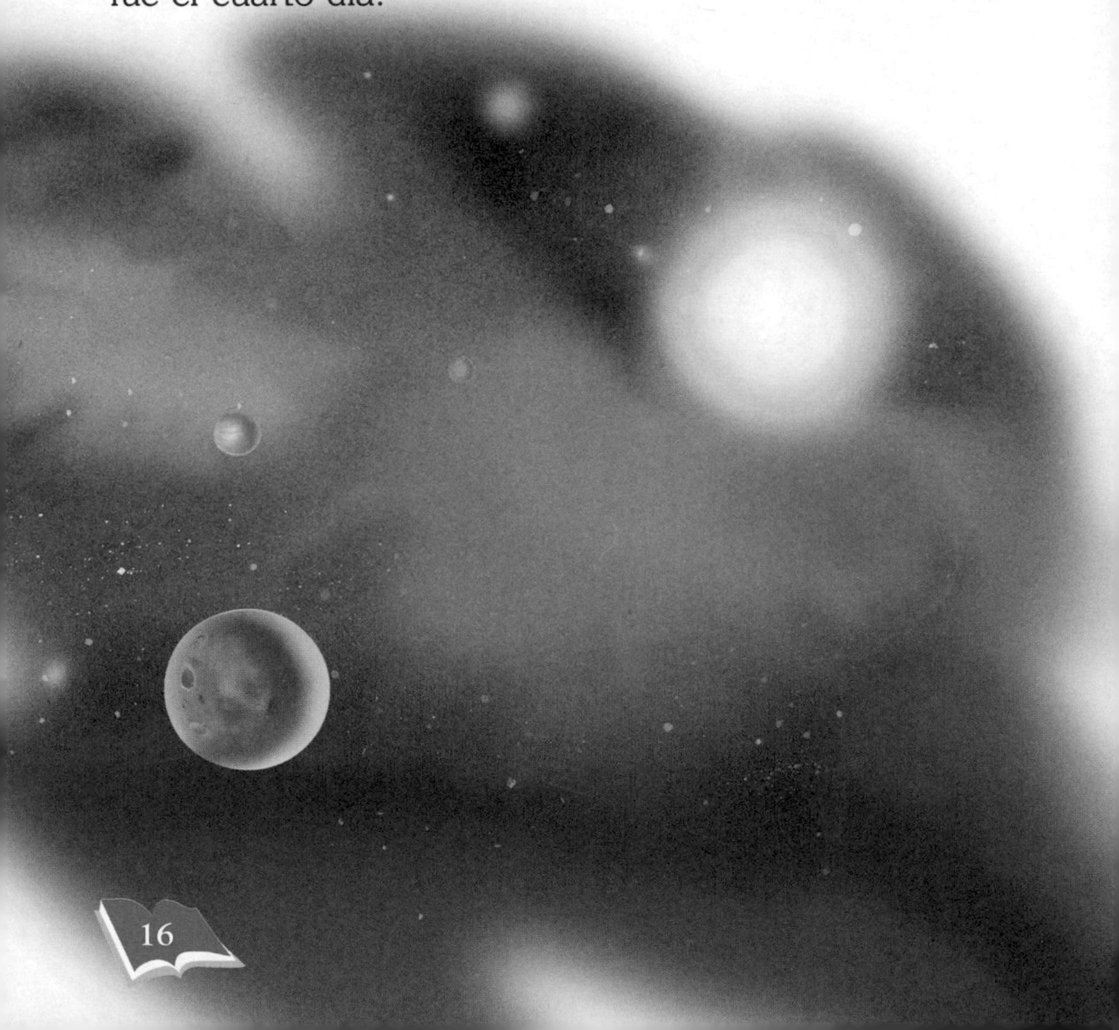

—Quiero que las aguas se llenen de peces, pececitos y peces grandes. Quiero que aparezcan sapos y ranas, cangrejos, ostras habitadas por moluscos, estrellas del mar, hipocampos...

Mientras Jesús hablaba, los animales aparecían. Esto fue el quinto día.

Al mirar al cielo, Jesús habló:
—Quiero que el cielo se llene de aves de todos los tamaños y de todos los colores. Quiero que canten, gorjeen, pipíen y griten. ¡Quiero un sonido melodioso! ¡Y quiero que todos tengan muchos pichones!

Ese fue el quinto día.

—Quiero que en la Tierra habiten perros, gatos, conejos, osos, leones, perezosos, osos hormigueros, monos, jirafas... Y quiero que todos tengan muchos hijitos —ordenó Jesús en el sexto día.

¡Y cuando Jesús vio todos esos animales, quedó encantado!

Aún en el sexto día, Jesús le dijo a Dios Padre y a Dios Espíritu Santo:
—Ahora Nosotros hagamos al hombre. Él será parecido a nosotros. Será el dueño de la Tierra y mandará en todos los animales que Yo hice.

Entonces Jesús hizo un lindo muñeco de barro y, cuando estuvo listo, sopló en su nariz. Ahora él ya no era más un muñeco. ¡Era Adán!

Cuando Adán empezó a sentirse muy solo, Jesús mandó que durmiera un poquito. Mientras dormía, Jesús le sacó una costilla, y de la costilla hizo a Eva. Él la presentó a Adán, diciendo:

—Adán, esta es tu esposa. ¡Sean felices!

El día en que Dios descansó

(Génesis 2:1-3)

Uno, dos,
tres, cuatro,
cinco,
seis. Seis
días para
que todo
quedara
terminado.
El séptimo
debería ser
un día de
descanso,
un día
especial.
Dios lo
bendijo y
lo separó,
haciéndolo
diferente de
los demás,
porque
en ese día
él mismo
descansó.

Resultados de la desobediencia

(Génesis 3-9)

Adán y Eva desobedecieron a Jesús, pues comieron del árbol que él dijo que no comieran. Esto les trajo mucha tristeza a ellos y a Jesús.

—Ahora ustedes tendrán que salir del jardín —dijo Jesús.

Y, tristes, ellos se fueron.

Adán y Eva tuvieron muchos hijos e hijas. El mayor se llamaba Caín. Después nació Abel. Abel obedecía a Jesús. A Caín no le gustaba obedecer. A Jesús le gustaba escuchar a Abel, pero no podía oír a Caín, porque Caín sólo quería hacer las cosas a su manera.

A los hijos de Caín tampoco
les gustaba obedecer a Jesús.
Ellos se alejaron cada vez
más de él. Se alejaron tanto
de Jesús, que llenaron la
Tierra de maldad.

De todos los habitantes de la Tierra, sólo quedó una familia que amaba a Jesús. Era la familia de Noé. Noé era un hombre recto. Le gustaba obedecer a Jesús. Noé y su familia oraban a Jesús todos los días.

Cierto día Jesús dijo:
—Noé, las personas están muy malas, por eso destruiré el mundo con una lluvia tan fuerte que inundará todo de agua. Yo quiero que hagas un barco muy grande. Quiero que tú, tu familia y todos los que crean en lo que yo te mande hablar entren en el barco cuando esté terminado.

Noé empezó a trabajar. Demoró muchos años para construir ese enorme barco. Mientras él trabajaba, hablaba a las personas acerca de la gran lluvia que destruiría el mundo. Pero las personas no creyeron en Noé, pues nunca habían visto lluvia. Pensaron que Noé estaba loco.

Un día, una larga fila de animales empezó a entrar en el barco. Todos los tipos de animales. Los hombres malos, que no creían en Noé, quedaron boquiabiertos, muy asustados.

Y luego, un sonido extraño... Miraron hacia arriba. ¡Aves! ¡De todos los tamaños y de todas las especies! Ellas también entraron en el barco. Sólo las personas no quisieron entrar. Algunas hasta tuvieron ganas, pero tuvieron miedo de la burla de los amigos. ¡Qué lástima!

—Noé, entra en el barco con tu familia
—ordenó Dios—. Llegó la hora.
Noé entró, mirando
hacia los que
quedaban
afuera.
—¡Vengan!
¡Todavía
hay tiempo!
¡Corran!
¡La lluvia
fuerte está
por caer!
—imploró
Noé.

Pero
nadie
quiso
entrar.

Entonces, un ángel invisible cerró la puerta del barco. Ahora nadie más podría entrar. Una semana después, la lluvia empezó a caer. Llovió y llovió hasta que cubrió toda la Tierra. Los ángeles cuidaron de Noé y su familia.

Cuando la tierra
se secó, el ángel
abrió la puerta y
todos salieron. Noé
y su familia se reunieron para
agradecerle a Jesús su cuidado.

—Noé —dijo Jesús—. ¿Ves aquel arco iris? ¡Es una señal de que yo nunca más enviaré un diluvio para destruir la Tierra!

¡Y qué lindo arco iris era aquel!

La torre sin terminar
(Génesis 10:8-10; 11:1-9)

Nimrod era el jefe del pueblo que vivía en Sinar. Un día Nimrod dijo: —Vamos a construir una torre tan alta que alcance las nubes. Así, si viene otro diluvio, estaremos seguros en lo alto de la torre.

Aquella torre mostraba que el pueblo no
creía en la promesa de Jesús de que no habría
otro diluvio. Por eso, él confundió su idioma.
—¡Quiero un carro de ladrillos! —alguien gritó allá arriba.
Pero lo que recibió fue un balde de brea. ¡Qué confusión!
Entonces cada uno buscó a alguien que hablara su
idioma. Luego se organizaron en grupos y partieron de
allí.

La mudanza
(Génesis 12:1-6; 17:5; 21:1-7)

Muchos años después, Jesús le dijo a Abram:
—Abram, quiero que salgas de esta ciudad y vayas hacia un lugar que yo te mostraré. Serás una gran nación.
Abram no tenía hijos; pero, aún así, obedeció. A él le gustaba obedecer a Jesús.

¡Qué mudanza! Camellos, ovejas, vacas, bueyes, asnos... Su linda esposa, Sarai, y su sobrino, Lot, también fueron. Además de ellos, también había muchos empleados. Ellos tuvieron que caminar, y poner las cosas en el lomo de los camellos.

Un día, cuando Abram tenía 99 años, Jesús cambió su nombre por Abraham, porque sería padre de muchos y muchos hijos. A Sarai también se le cambió el nombre por Sara, porque sería madre después de los 90 años de edad. A Sara le pareció cómico, pero Jesús no estaba jugando.

Y como Jesús había dicho, Sara tuvo un bebé. Abraham y Sara le pusieron por nombre Isaac, que quiere decir "Risa". Isaac creció y se tornó un niño fuerte, hermoso y obediente. Isaac aprendió a amar a Jesús, como su padre.

La gran prueba de Abraham

(Génesis 22:11-13)

Cierta vez, muy temprano, Jesús se acordó de Abraham y le dijo:

—Abraham, toma a Isaac, tu único hijo, y ve con él al monte que yo te mostraré. Ofrécemelo allí en sacrificio.

¡Qué orden difícil de atender! Abraham se estremeció, pero obedeció.

Cuando amaneció, Isaac y Abraham estaban en camino a la tierra de Moriah. Después de algún tiempo, Isaac preguntó:

—Papá, el fuego y la leña están aquí. Pero, ¿dónde está el cordero para el sacrificio?

Fue difícil contestar, pero Abraham dijo:

—Dios proveerá para sí, hijo mío, del cordero para el sacrificio.

Cuando llegaron al lugar que Jesús había elegido, Abraham armó el altar de piedras y puso la leña arriba. Luego, tomó las manos de Isaac en las suyas y le contó lo que Jesús le pedía. Isaac podría haber salido corriendo, pero había aprendido a confiar en Jesús.

Cuando Abraham levantó el cuchillo para matar a Isaac, Jesús gritó desde el Cielo:

—¡No, Abraham, no hagas eso! ¡Ahora sé que no me negarías a tu único hijo!

Y en ese instante ellos vieron un cordero atrapado por los cuernos entre unos arbustos. Y el cordero murió en lugar de Isaac.

Una esposa para Isaac
(Génesis 23:1 y 2; 24)

Sara quedó muy ancianita y murió; Isaac lloró mucho por la muerte de su madre. Entonces Abraham vio que llegó la hora de que Isaac se casara.

—Ve a mi tierra y busca allí a una joven buena para que se case con mi hijo —Abraham le ordenó a su siervo Eliezer.

—Pero, ¿dónde encontraré la joven ideal para Isaac? —quiso saber él.

—El Señor enviará a su ángel delante de ti y te ayudará. —le dijo Abraham.

Después de un largo viaje, Eliezer llegó a un pozo cerca de la ciudad donde vivían los familiares de Abraham. Después de orar, pidiendo que Jesús lo ayudase a encontrar a la joven correcta, él vio a una joven muy linda sacando agua de un pozo.

—Tengo mucha sed, ¿me darías un poco de agua? —él le pidió.

—Por supuesto —ella contestó—. ¿Aquéllos son sus camellos? Deben tener sed, como usted. También les daré agua a ellos.

"Esta es la joven", pensó Eliezer.

Cuando ella terminó su tarea de dar agua a los camellos, Eliezer le dio una porción de regalos.
—Dime, ¿de quién eres hija? ¿Tu casa tiene lugar para hospedarnos?
Después que ella le dijo que era hija del sobrino de Abraham, Eliezer se arrodilló allí mismo y adoró a Dios, agradecido y emocionado.

En casa del sobrino de Abraham, Eliezer preguntó si la joven iría con él para casarse con Isaac. Rebeca (este es el nombre de la joven) se asombró. No sabía qué decir.

Pero ella amaba a Jesús, y vio que el Señor la había elegido para ser la esposa de Isaac. Decidida, contestó:
—Sí, iré.

Isaac estaba en el campo, charlando con Dios, cuando de repente vio una caravana que llegaba. Era la caravana que traía a su prometida. Cuando los dos se encontraron, vieron que se amarían y que Dios los bendeciría. Se casaron y fueron muy felices.

Un cambio mal hecho
(Génesis 25:19-34; 28:1-4)

Isaac y Rebeca tuvieron dos hijos: Esaú y Jacob. Eran gemelos. Esaú nació primero. Estaba todo cubierto de un vello color fuego. Jacob nació sosteniendo el calcañar de Esaú. Era lampiño y más delgado. El papá quería más a Esaú y la mamá quería más a Jacob.

Un día Esaú regresó de una cacería, ¡pero con qué hambre!

—Jacob, ¿me das un plato de esas lentejas? Estoy muerto de hambre.

—Sólo si, a cambio, me das tu derecho de primogenitura.

—Pues, ¡por supuesto que la cambio! Si yo muero, ¿de qué me sirve ese derecho?

El tiempo pasó. Esaú se olvidó del trueque que había hecho, pero Jacob no se olvidó. Rebeca tampoco.

Cierto día Isaac dijo:

—Esaú, hijo mío, vete a cazar y prepárame un guisado. Y después de comer quiero bendecirte, porque ya estoy viejo y ciego.

—¡Ve, Jacob! ¡Ve a recibir la bendición que Esaú te vendió, ve! —dijo Rebeca, empujando a Jacob para que buscara un cabrito en el corral y ella lo preparara.

Y Jacob fue, y su padre lo bendijo, pensando que estaba bendiciendo a Esaú. Cuando Esaú llegó con la caza, Isaac ya había bendecido a Jacob.

—¡Jacob! —gritó Esaú, muy enojado—. ¡Un día te agarraré!

Jacob tuvo miedo, mucho miedo, y se escondió.

—Jacob, huye a la casa de tu tío Labán —aconsejó Rebeca.

Y Jacob huyó, y nunca más vio a su madre.

Una escalera diferente
(Génesis 28:10-17)

Ya estaba oscuro y Jacob necesitaba parar para descansar. Se acostó en el piso, puso una piedra como almohada y luego se durmió. ¡Y tuvo un lindo sueño! Vio una escalera diferente. Venía desde el Cielo y tocaba el piso cerquita de él. Muchos y muchos ángeles subían y bajaban por la escalera. Jacob se despertó y exclamó:

—¡El Señor está aquí! ¡Aquí es la puerta del Cielo! ¡Quiero ser siempre fiel a Dios!

El encuentro
(Génesis 29)

Por fin, Jacob llegó a Harán, ciudad de Labán, su tío, hermano de Rebeca.

Los pastores esperaban ayuda para destapar el pozo para darle agua a las ovejas. Cuando Jacob vio a su linda prima Raquel, que también era pastora, sintió que las fuerzas le volvían y sacó la tapa del pozo solo. Raquel se impresionó. Jacob besó a Raquel y lloró.

—¡Papá! ¡Papá! ¡Jacob, nuestro primo, llegó! —anunció Raquel.

Labán corrió para abrazar a su sobrino Jacob. Jacob se sintió bienvenido. ¡Cuán bueno era sentirse en casa otra vez!

Jacob se casó con Raquel y con Lea, su hermana.
Lea tuvo muchos hijos. Raquel tuvo sólo dos:
José y Benjamín.
Jacob tuvo en total doce hijos y una hija.

Los hermanos celosos
(Génesis 37)

Las ropas coloridas eran caras y daban trabajo hacerlas. Sólo los príncipes usaban ropas coloridas. Jacob le hizo un saco colorido a José, pero no les hizo uno igual a sus hermanos. Con esto Jacob mostraba que quería más a José que a los demás hijos; y ellos sintieron envidia de José.

Cuando sus hermanos se portaban mal, José decía:

—Hermanos, no hagan eso, que es muy feo. Le contaré todo a papá.

Ellos no querían que José le contara al padre lo que hacían de malo. Un día José decidió contarle a sus hermanos que en sus sueños ellos se inclinaban delante de él. ¡Entonces se enojaron mucho!

¡Adiós, José!
(Génesis 39)

—José, anda y ve cómo están tus hermanos —ordenó el papá Jacob.
A José le gustaba obedecer. Cuando ya estaba cansado de caminar buscándolos, al verlos se puso feliz. Pero a sus hermanos no les gustó ver a José. Así que decidieron arrojarlo en un pozo seco.

Al tiempo una
caravana de ismaelitas que iba
a Egipto pasó cerca del grupo.
—¡Vendamos a José a los
ismaelitas! —combinaron los
hermanos celosos.

Y vendieron al propio hermano.
Por tanto, José no pudo
decirle adiós al papá.

—¡Papá, papá! —entraron corriendo los hermanos de José—. ¿Reconoces este saco?
Era el saco de José. Estaba todo sucio de sangre. El corazón de Jacob casi paró de latir. Pensó que una fiera había devorado a su hijo. ¡Qué tristeza! Jacob lloró por varios días.

A José lo llevaron a Egipto y lo vendieron como esclavo a Potifar. Pero José decidió amar a Dios y ser obediente a Jesús siempre. Empezó barriendo la casa y terminó cuidando de todo: de la casa, de las compras, de los demás esclavos, de la hacienda, de los caballos y de muchas otras cosas. José era de confianza.

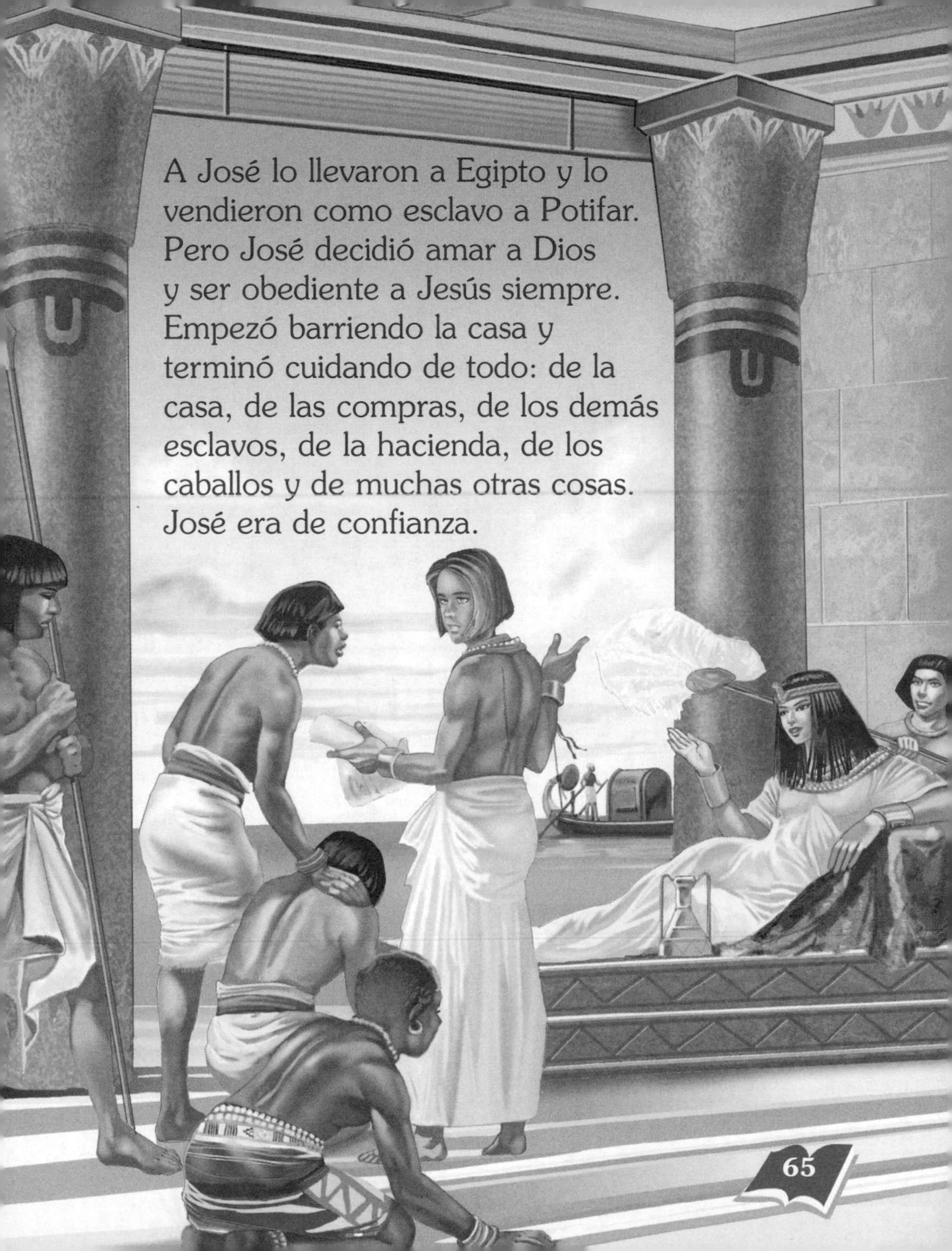

Un día, la esposa de Potifar habló mal de José a Potifar. Él sintió rabia de José y mandó encerrarlo. En la cárcel, José oró a Dios y decidió continuar obediente a Jesús. Él hizo amistad con todos los presos y con el carcelero. José le mostró el amor de Dios a todos ellos.

José en la cárcel
(Génesis 40)

José cuidaba de dos prisioneros especiales. Uno de ellos acostumbraba servirle vino al rey, y el otro trabajaba en la panadería del palacio. Una mañana José percibió que ellos estaban preocupados.
—¿Por qué están preocupados?
—Porque tuvimos un sueño parecido y queremos saber qué significa.

—Soñé que había una parra —dijo el que le servía vino al rey—. La parra tenía tres ramas que dieron flores y de ellas surgieron las uvas. Tomé un racimo muy hermoso y exprimí las uvas en el vaso del rey.
—Eso significa que de aquí a tres días volverás a trabajar para el rey —explicó José—.
Y cuando estés allí, dile al rey que yo soy inocente.

—Pues yo tenía tres canastas de pan blanco en mi cabeza —empezó el panadero—. Y en el canasto de arriba había una porción de panes sabrosos. Y los pájaros comían esos panes ricos.

—De aquí a tres días —dijo José— el rey te mandará matar.

Tres días después, ocurrió todo lo que José había dicho.

El sueño de Faraón
(Génesis 41:1-13)

Dos años después, el rey también tuvo un sueño extraño. Él soñó que siete vacas gordas y hermosas pastaban cerca del río, cuando repentinamente aparecieron siete vacas flacas y feas que devoraron a las siete vacas gordas y hermosas. Pero ellas continuaron flacas y feas. El rey se despertó asustado, y tuvo dificultad para dormir otra vez.

Pero,
cuando
durmió,
tuvo
otro sueño
extraño. Él
vio siete espigas
de trigo llenas de
granos y muy gruesas.
Y también vio siete
espigas de trigo menudas
y resecas. Las siete espigas
menudas devoraron las siete
espigas gruesas. Entonces él se
despertó.

El rey quería que los sabios de la corte interpretaran su sueño, pero ellos no pudieron. Entonces el copero del rey se acordó de José.

—Majestad —dijo él—. Hace dos años usted se enojó conmigo y con el panadero, y nos mandó a la cárcel. Allí había un hombre llamado José que interpretó nuestros sueños, y todo lo que él dijo ocurrió.

José delante de Faraón

(Génesis 41:14-49)

Faraón mandó llamar a José, y le contó los sueños. José aprendió a ser humilde y le dijo a Faraón:

—Majestad, el Dios que está en el Cielo le dirá lo que ellos significan. Las siete vacas gordas y las siete espigas gruesas son siete años de mucha comida. Las siete vacas flacas y las siete espigas menudas son siete años de hambre.

Faraón se impresionó tanto con José que decidió hacerlo gobernador de Egipto. José decidió amar a Dios y ser obediente a Jesús mientras fuese gobernador de Egipto.
Así Dios ayudó a José y pudo salvar a muchas personas por su intermedio.

Gran hambre
(Génesis 41:53-57; 42-44)

En los primeros siete años hubo mucho para comer, pero los siguientes siete años trajeron una terrible sequía. José mandó guardar bastante alimento para ese tiempo difícil. De modo que entonces ordenó abrir todos los graneros, donde había alimento guardado, para que se lo vendieran al pueblo.

La familia de Jacob estaba en dificultades por causa de la sequía. Jacob escuchó decir que en Egipto había comida, por lo que envió a sus hijos hacia allí para que compraran alimento. Sólo que él no dejó ir a Benjamín. Benjamín era el hermano menor de José. Jacob temía que le pasara algo.

Cuando los hijos de Jacob llegaron a Egipto, los llevaron al gobernador, que era José. José los reconoció, pero ellos no reconocieron a José. Él se acordó de la maldad de sus hermanos y quería saber si seguían siendo malos. Los acusó de espías y mandó encerrarlos por tres días.

—Señor, ¡nosotros no somos espías! —intentaron explicar—. Tenemos un padre anciano y un hermano menor que está con él. Solamente vinimos para comprar alimento. Por favor, ¡crea en nosotros! —ellos imploraron.

—Está bien —dijo José—. Creeré si traen a su hermano menor.

—Esto nos pasa porque vendimos a José —ellos se acusaron.

Cuando José escuchó eso, se alejó de ellos y lloró. Todos pudieron partir, menos uno de los hermanos, Simeón, que quedó preso. José puso el dinero de ellos en la boca de la bolsa que contenía el cereal que llevaban a casa.

—Padre, la comida está terminando —avisaron los hijos de Jacob.
—Vayan a buscar más —él ordenó.
—Sólo si llevamos a Benjamín —retrucaron.
—Benjamín no irá —decidió el padre.
—Padre —dijo Rubén, el mayor—, puedes dejarlo ir. Yo lo cuidaré.
—¡Oh! ¡Qué tristeza! —clamó Jacob, muy preocupado—. ¡Entonces lleven a Benjamín! Lleven también algunos regalos para agradar al gobernador.

José se presenta a sus hermanos

(Génesis 45)

Los hermanos de José partieron con el dinero que les devolvieron, con los regalos del padre y con el hermano menor, Benjamín.
Cuando José vio a Benjamín, se alejó de él para estar solo y llorar.
Y lloró mucho.
¡Cómo extrañaba a su padre y a su hermano!

Después, José se lavó el rostro, se repuso y se acercó a ellos. Él los invitó para almorzar en su casa. Ellos sintieron miedo.

Los hermanos fueron ubicados en la mesa por orden de edad: del mayor al menor. "Qué cosa extraña", pensaron ellos. A la hora de la comida todos tuvieron bastante comida, pero la porción de Benjamín fue cinco veces más. Ellos no se molestaron por eso. Todo lo contrario, se divirtieron y se alegraron con el hermano menor.

—Llena con mucho alimento las bolsas de estos hombres. Tanto cuanto puedan llevar —ordenó José a su empleado. Y continuó—: Devuélveles el dinero nuevamente y pon mi vaso de plata en la boca de la bolsa que pertenece a Benjamín.

"Vamos a ver qué harán", pensó.

A la mañana siguiente, ellos se despidieron. Pero, qué lástima, tuvieron que volver, pues el empleado de José salió detrás de ellos y los acusó de robar el vaso de plata del gobernador.

—¡Jamás! ¡Si encuentras tal vaso entre las cosas de alguno de nosotros, puedes llevarnos como esclavos!

—No —contestó el empleado de José—. Sólo será mi esclavo aquel con quien esté el vaso robado.
Y después de buscar en todas las bolsas, encontraron el vaso en la bolsa de alimentos que pertenecía a Benjamín.
¡Justo Benjamín!

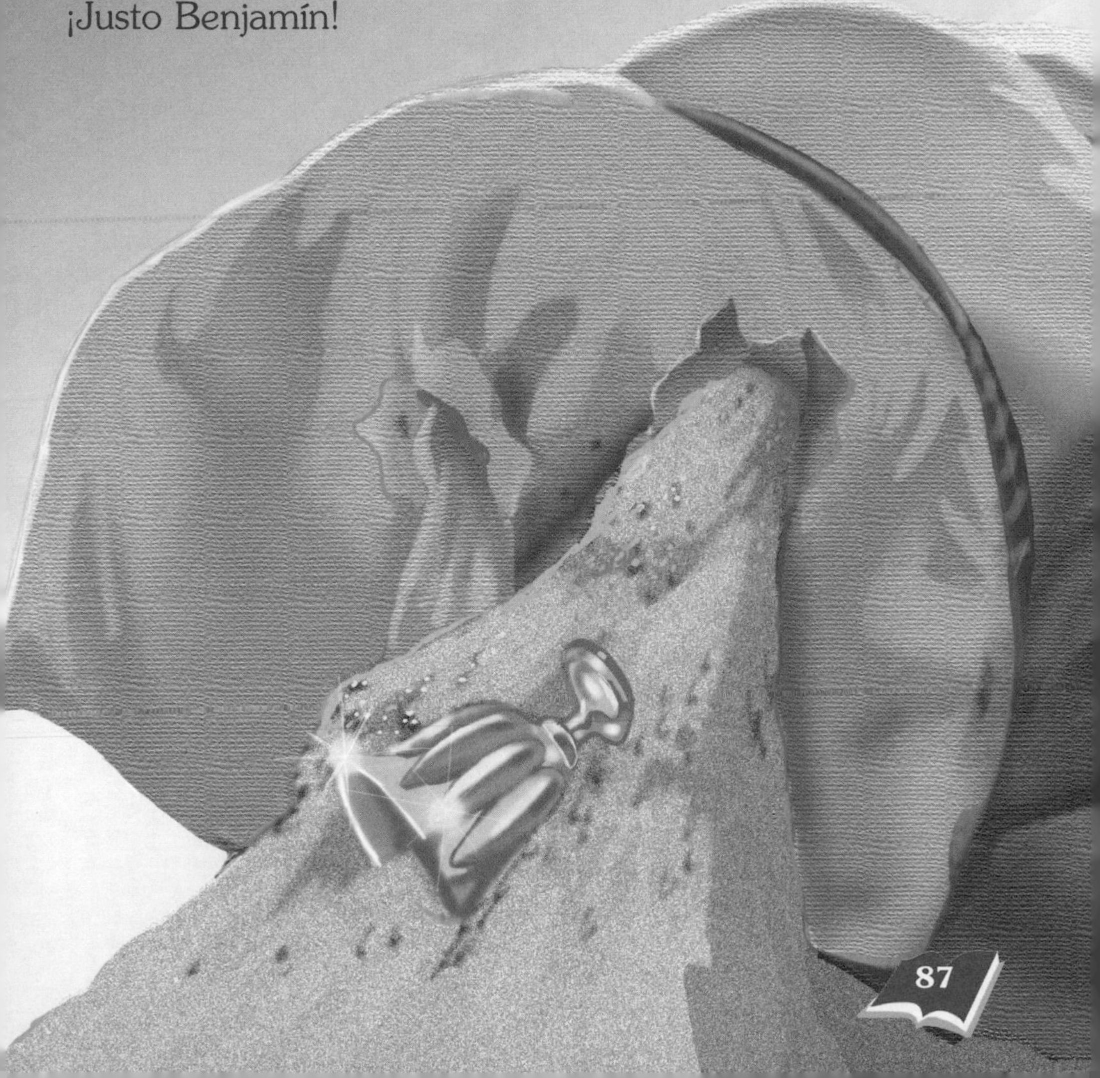

Ahora, muy tristes, ellos regresaron a donde estaba José.

—Por favor, deje que mi hermano se vaya —imploró Judá—. Es que nuestro padre está muy anciano y ama demasiado a Benjamín. Él ya perdió a uno de sus hijos. ¡Si pierde a este, morirá de tristeza! ¡Permítame quedar en su lugar!

Ahora José entendió que ellos aprendieron a amar. Con una emoción muy fuerte que le apretaba el corazón, gritó a sus empleados:

—¡Salgan todos de aquí!
Y todos salieron. Sólo quedaron sus hermanos y él.
—¡Yo soy José! —les dijo llorando.
¡Qué susto se llevaron sus hermanos!

—No se pongan tristes porque me vendieron —dijo José—. ¡Gracias a ustedes, hoy estoy aquí como gobernador y ustedes no tendrán que morir de hambre con la sequía!

Y continuó:
—Vayan a buscar a papá y sus familias. ¡Aquí hay mucha comida y mucho espacio para todos!

El feliz reencuentro
(Génesis 46:28-31; 50:22-26)

Y fue lo que pasó. José mandó varios carruajes y camellos para que buscaran al padre y a sus parientes, y ¡qué reencuentro feliz fue aquel!

José vivió 110 años. Quedó muy viejito. Él vio hasta sus tataranietos y los puso en su falda. Con seguridad, ¡José fue un abuelo muy querido!

Un niño especial
(Éxodo 1 y 2)

El rey que quería a José murió. El rey que vino después de ese no le gustaba nada el crecimiento de aquel pueblo intruso. Él decidió esclavizar a los hebreos. Pero cuanto más él maltrataba el pueblo de Dios, tanto más fuerte se hacía y tanto más crecía.

Este rey ordenó que su pueblo tirara al río a todos los hijos que nacieran de los hebreos. Era un tiempo terrible. Las mamás tenían que esconder a sus niñitos, pero no siempre podían, y terminaban perdiendo a sus hijitos.

En aquel tiempo nació un niño muy hermoso. Su mamá, Jocabed, no aceptó la idea de dejar que tiraran a su hijito al río. Él era un niño fuerte, y cuando lloraba, seguramente todos podían oír. Pero Jocabed pudo esconderlo durante tres meses.

Aarón y María eran hermanos del bebé y ellos ayudaban a cuidarlo. Un día Jocabed vio que no serviría más intentar esconderlo y decidió hacer una canasta, como si fuera para poner ropa sucia, y puso al bebé en su interior.

Jocabed tomó aquella canasta de "ropa sucia" y la llevó hasta la orilla del río. Con mucho cariño puso la canasta en el agua. María se escondió allí cerca, observando. De repente, ella vio que la princesa venía a bañarse en el río. "Y ahora, ¿qué pasará con el bebé?", pensó ella.

Cuando la princesa se aproximó al río, notó la canasta flotando entre los juncos. Mandó que una sierva la buscara, y cuando abrió la tapa...

—¡Oh! ¡Es un bebé! —exclamó sorprendida—. ¡Y qué lindo bebé!

—¿Usted quiere que llame a una niñera para que cuide al bebé? —se aventuró María.

—Sí, quiero —contestó la princesa, mientras jugaba con el niño.

María, muy inteligente, corrió a llamar a su mamá, que pasó a cuidar del bebé, ¡y además ganaba un salario por cuidar a su propio hijo!

Ahora ella no necesitaba más esconder a su hijito, pues él pertenecía a la princesa. Y Jocabed, feliz, cuidó de él con mucho cariño y le enseñó todo lo que sabía acerca de Dios y de su gran amor por su pueblo. ¡Qué buena mamá era Jocabed!

Pero, a los doce años, él tuvo que ir a vivir al palacio con su mamá adoptiva.

—Adiós, mamá —él debe de haberle dicho a Jocabed.

—Adiós, hijo mío —ella debe de haber contestado—. ¡Nunca te olvides de Dios!

Su nueva madre le dio el nombre de Moisés, que quiere decir "Sacado de las aguas".

Un día Moisés mató a un egipcio, y por eso tuvo que huir al desierto. Cuando se detuvo para descansar a la sombra de unas palmeras, ayudó a un grupo de jóvenes pastoras que querían dar de beber a sus ovejas. El padre de las jóvenes, agradecido, invitó a Moisés para que viviera con su familia.

Moisés se casó con Séfora, una de aquellas jóvenes. Él vivió en él desierto cuarenta años. Fue allí, con las ovejas de su suegro, Jetro, que él aprendió a ser manso y humilde. Y también allí escribió la historia de Job, que ahora conocerás.

El hombre más paciente del mundo
(El libro de Job)

Job era un hombre que amaba mucho a Dios. Un día, Dios le preguntó a Satanás:

—¿Viste a mi siervo Job? ¿Viste cómo él me ama y me obedece en todas las cosas?
—¡Por supuesto! —contestó el ángel malo—. ¡Le das de todo!

—Si le sacas la protección, verás si no empieza a maldecirte y reclamar como lo hacen todos —dijo Satanás.
—Está bien —dijo Dios—. Puedes intentarlo. Pero no lo lastimes.
Satanás salió de allí haciendo planes para destruir la fe y la paciencia de Job.

Él consiguió gente para que robara los bueyes y los asnos y matara a los siervos de Job. Después envió fuego del cielo sobre las ovejas y sus siervos. Mandó más gente para que robara sus camellos y matara a los siervos que los cuidaban. Y por último mandó un viento fuerte para matar a todos sus hijos.

Todo eso ocurrió en un sólo día. Job quedó muy, muy triste. Pero no reclamó. Él no sabía que no era Dios quien lo estaba maltratando.

—Nací sin ropa, sin ropa moriré. Dios lo dio, Dios lo tomó nuevamente. ¡Bendito sea el nombre de Dios!
—dijo él.

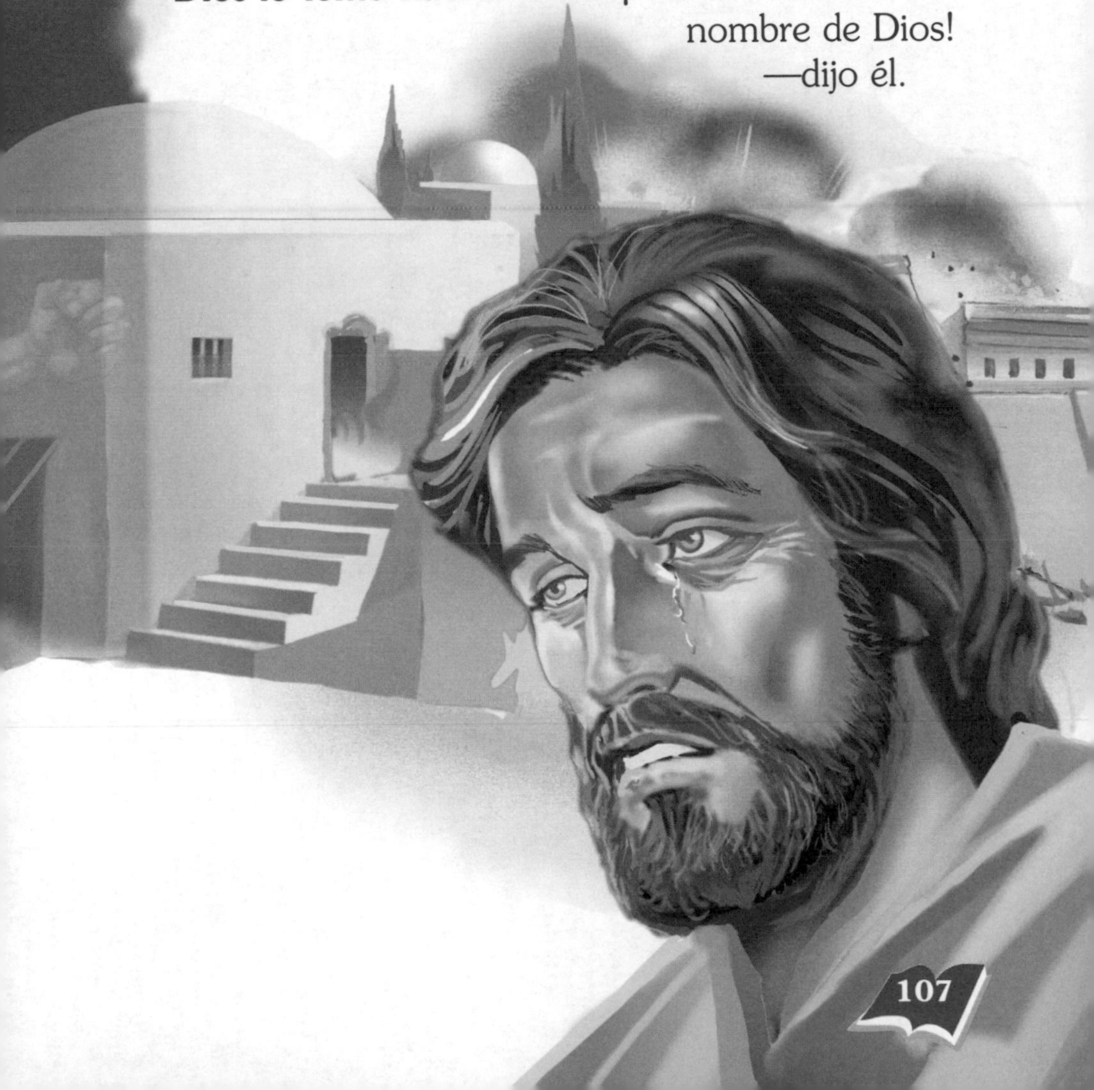

Pero Satanás todavía no estaba satisfecho. Entonces, Dios le dio permiso para lastimar el cuerpo de Job. Satanás puso una enfermedad en Job que llenó su cuerpo de heridas que picaban y dolían mucho. Job jamás ofendió a Dios, sino que soportó el dolor con confianza.

Job recibió la visita de tres amigos. Cuando lo vieron, perdieron el habla. Quedaron en silencio durante siete días y lloraron con Job. Pero ellos no lo ayudaron mucho. No entendieron lo que ocurría. Pensaban que Dios lo castigaba por haber sido malo en el pasado.

Un día, mientras Job
oraba por sus amigos, Dios
lo sanó, le dio el doble
de todo lo que tenía
antes, más siete
hijos y tres hijas.

Sus hijas fueron
las jóvenes más
hermosas del lugar. Job murió
muy anciano y vio hasta sus tataranietos.
Hoy la historia de Job ayuda, a muchos
que sufren, a ser pacientes.

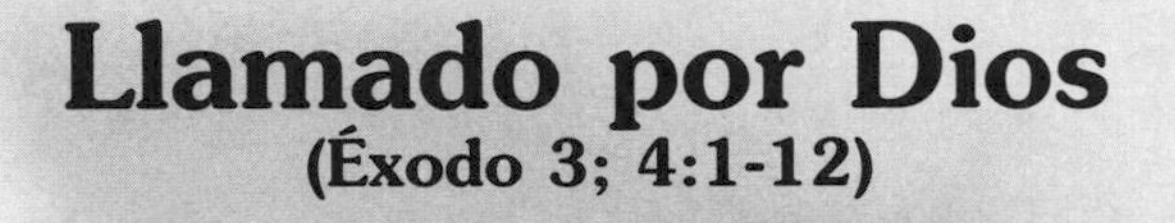

Llamado por Dios
(Éxodo 3; 4:1-12)

Moisés estaba cuidando las ovejas de Jetro, su suegro, cuando vio un arbusto del desierto rodeado de fuego, sin consumirse. Él se aproximó, curioso. Se detuvo asustado y escuchó:

—¡Moisés! ¡Moisés! —Dios lo estaba llamando para una gran tarea.

Dios llamó a Moisés para que liberara a su pueblo de la esclavitud de Egipto.
—¡Oh Señor! —dijo Moisés—. ¿Quién soy yo para hablar con el rey de Egipto y sacar a todos de ese país?
—Yo estaré contigo, Moisés —le aseguró el Señor Dios.

—Pero, Señor —discutió Moisés—, ¿cómo creerán en mí?
—Moisés, arroja tu vara en el piso —ordenó Dios.
Moisés la arrojó y ella se transformó en una culebra.
—Ahora, toma la culebra por la cola —Dios ordenó.
Él lo hizo, y la culebra volvió a ser una vara.

—Ahora esconde tu mano en el pecho debajo de la capa —ordenó Dios.
Moisés obedeció. Y cuando la sacó, ella estaba toda manchada de lepra.
—Vuelve a ponerla debajo de la capa —volvió a ordenar Dios.
Moisés obedeció otra vez. Y cuando la sacó, estaba sana.

—Pero si —continuó Dios —aún así no creen en ti, toma un poco de agua del río y derrama sobre la tierra.

—Pero, Señor —murmuró Moisés—, ¡yo no sé hablar bien!

—Ve —mandó Dios—, y yo te enseñaré lo que debes decir.

Moisés delante del rey
(Éxodo 5-10; 12)

—Majestad —se inclinó Moisés, al hablar—. Dios quiere que dejes ir a su pueblo al desierto para adorarle.
—¡Ah, ah, ah! —se burló el rey—. ¿Y quién es ese Dios? Pues sepan que nadie saldrá de aquí, ¡de ninguna manera!

Dios quería mostrarle al rey
que él es más poderoso que
cualquier rey del mundo.
Entonces, Dios envió diez
plagas para que el rey
entendiera eso y dejara ir al
pueblo.

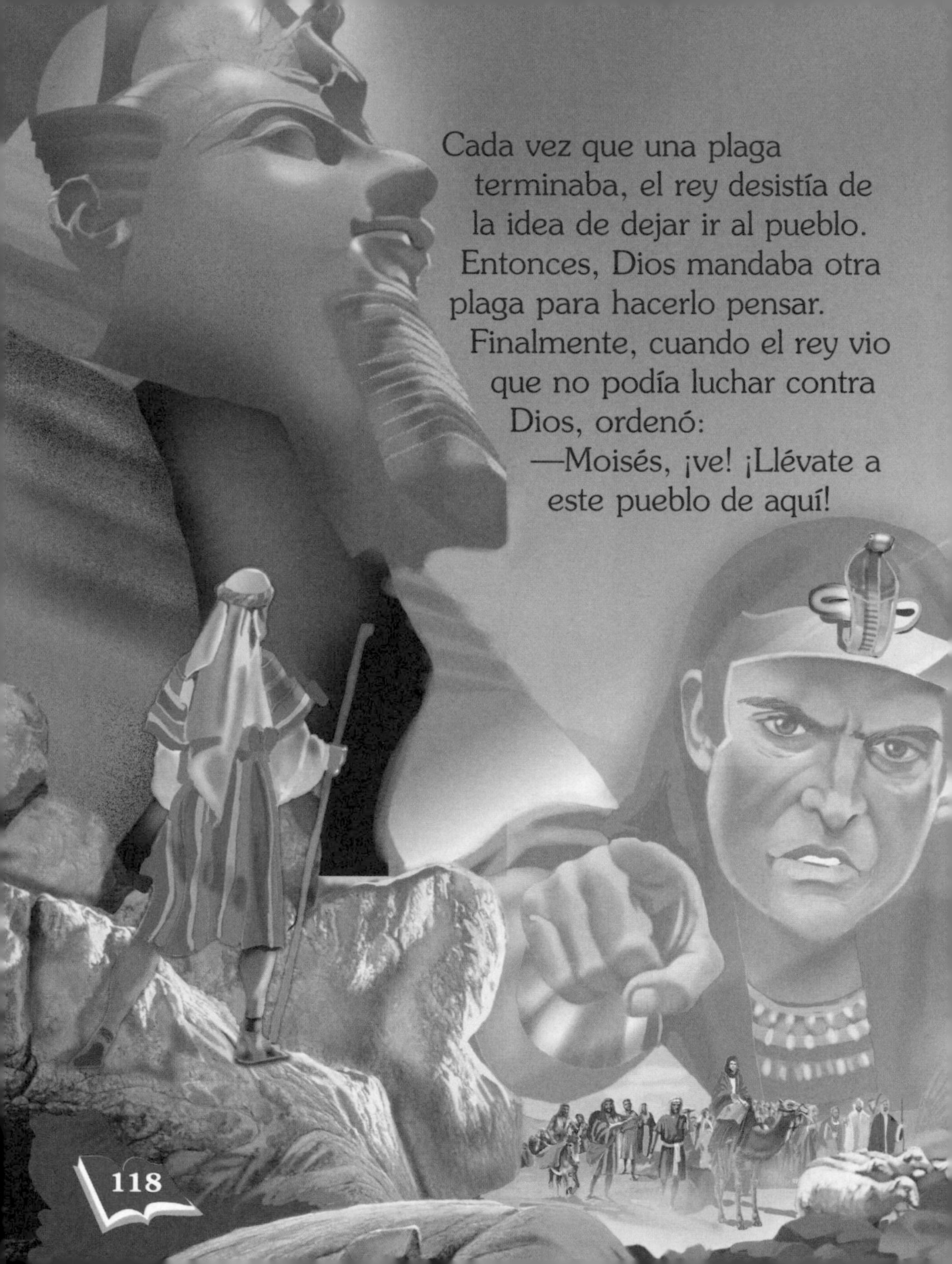

Cada vez que una plaga terminaba, el rey desistía de la idea de dejar ir al pueblo. Entonces, Dios mandaba otra plaga para hacerlo pensar. Finalmente, cuando el rey vio que no podía luchar contra Dios, ordenó:

—Moisés, ¡ve! ¡Llévate a este pueblo de aquí!

La gran liberación

(Éxodo 14; 15:1-21)

El pueblo de Dios viajó y viajó hasta que llegó a la orilla del Mar Rojo. Pero el rey se arrepintió de haber dejado salir al pueblo y decidió ir detrás de él con su ejército. ¡Cómo se asustaron los hebreos cuando los vieron aproximarse! Delante de ellos estaba el mar; a los costados, las montañas. Y ahora, ¿hacia dónde irían?

—Moisés, ¡golpea tu vara en el agua! —mandó Dios. Moisés obedeció. En ese instante ocurrió uno de los mayores espectáculos de la historia: ¡El mar se abrió! El pueblo entró por el camino abierto y las aguas quedaron como muros a los dos lados. ¡Qué milagro de amor realizó Dios!

El ejército egipcio entró por el medio del mar para perseguir al pueblo, pero Dios se puso entre ellos y el pueblo en una columna de fuego, y les dio mucho desconcierto para que se confundieran. Las ruedas de los carros se enterraban en el barro, los caballos tropezaban y estaba muy oscuro para ellos.

Los soldados egipcios se asustaron mucho. Percibieron muy tarde que jamás deberían haber intentado perseguir al pueblo que Dios defendía.

—Moisés, extiende tu mano sobre el mar —ordenó el Señor.

Moisés obedeció, y los egipcios murieron ahogados.

Al ver el poder de Dios, el pueblo decidió
confiar en él y en Moisés.
Moisés se puso tan feliz que compuso
un himno de alabanza, y María, su hermana,
junto con las mujeres, acompañó a Moisés
con tamborines y con danza.

La peregrinación

(Éxodo 13:21; 19)

Dios quería que su pueblo aprendiera a confiar en él. Por eso hizo que aguas amargas se transformaran en dulces, envió el maná para alimentarlos, hizo salir agua de la roca, y permaneció con ellos en una columna de fuego por la noche, para calentarlos e iluminarlos, y en una gran nube durante el día, para que tuvieran sombra.

—Moisés —dijo Dios un día—, manda al pueblo lavar sus ropas y hacer una limpieza en el campamento, porque de aquí a tres días descenderé sobre el monte Sinaí a la vista de todos ellos. Marca límites alrededor del monte para que nadie se aproxime a él.
Y el pueblo obedeció.

Tres días después, el pueblo se despertó con el sonido de fuertes truenos. Cuando salieron de las tiendas, vieron el pico del monte Sinaí cubierto por una espesa nube y relámpagos brillando a través de ella. El monte soltaba humo como si fuera un volcán, y ellos escucharon fuertes sonidos de trompeta, como queriendo avisar a todos que Dios estaba allí.

Los Diez Mandamientos

(Éxodo 20)

El sonido de las trompetas era cada vez más fuerte, y cuando Moisés hablaba con Dios, él contestaba con truenos. Entonces, Dios le dio al pueblo los Diez Mandamientos, que se resumen así:

Los cuatro primeros: "Amarás... al Señor, tu Dios, con todo tu corazón, con toda tu mente, y con todas tus fuerzas"; los seis últimos: "Amarás a tu prójimo como a ti mismo" (Marcos 12:30 y 31)

I
"No tendrás otros
dioses delante de mí".
II
"No harás para ti
imagen de escultura".
III
"No tomarás
el nombre del Señor
tu Dios en vano".
IV
"Acuérdate del día
del sábado
para santificarlo".

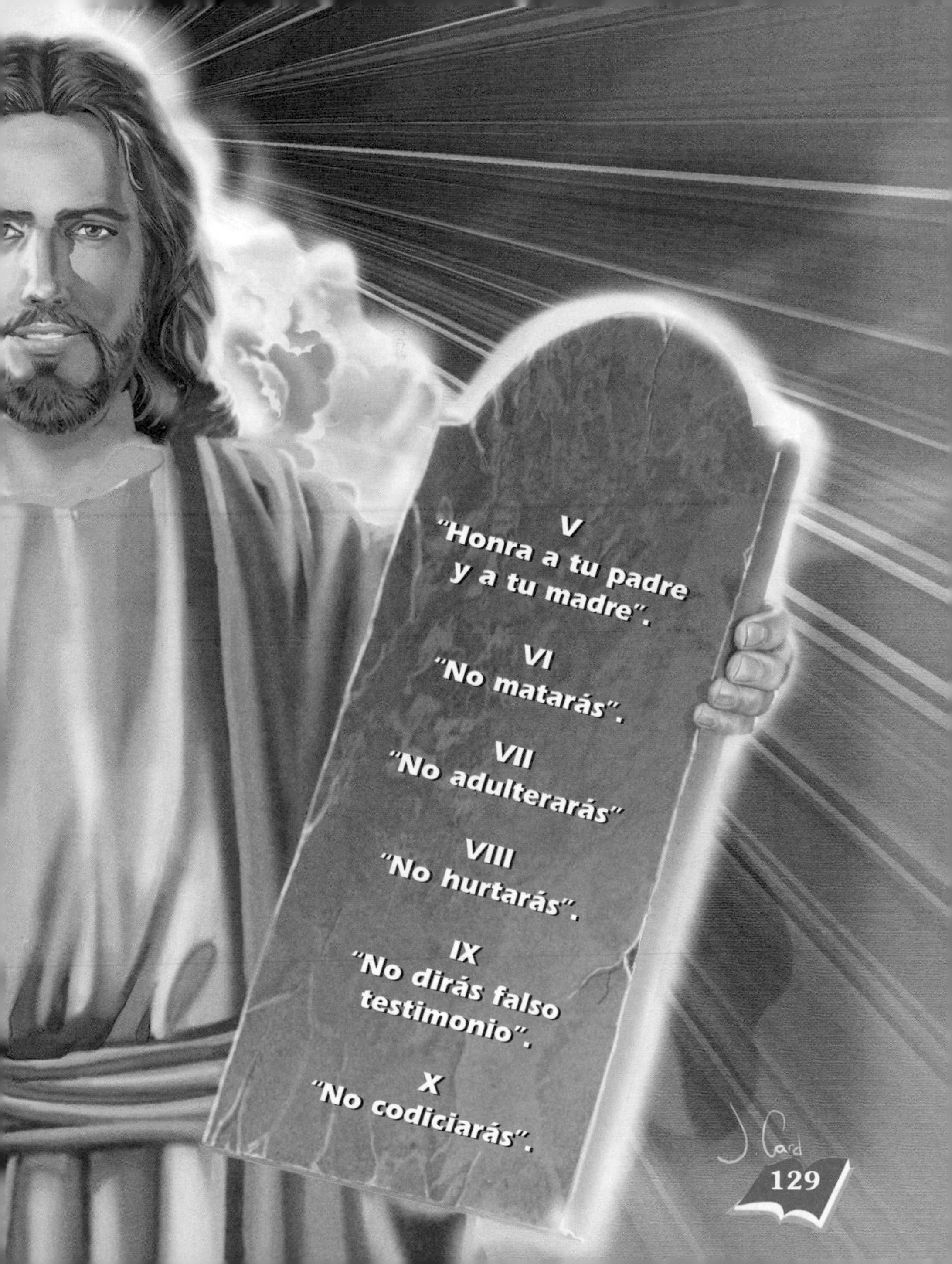

V
"Honra a tu padre
y a tu madre".

VI
"No matarás".

VII
"No adulterarás"

VIII
"No hurtarás".

IX
"No dirás falso
testimonio".

X
"No codiciarás".

Después de la ley de los Diez Mandamientos, también llamada la *Ley Moral de Dios*, Dios también le dio varias leyes al pueblo de Israel. Eran las *Leyes Ceremoniales*, que orientaban al pueblo en cuanto a la manera de adorarle, y las *Leyes Civiles*, que trataban de los derechos y las obligaciones de los miembros del pueblo entre sí.

Leyes para la salud del pueblo

(Levítico 11-15)

Dios quería que su pueblo tuviera mucha salud. Él sabía que ciertos animales no debían comerse, bajo el riesgo de enfermedades graves. También sabía que calles, casas y personas debían estar siempre en orden y limpias. Dios se interesa en nosotros, y por eso dejó todo escrito.

Dios habitó entre los hombres
(Éxodo 25:8; 40)

—Moisés —llamó Dios—, deseo habitar en medio del pueblo, y para eso quiero que ellos me hagan una iglesia-tienda. Ella debe ser parecida al modelo que te mostraré luego. Pide al pueblo que traiga sus regalos para que la iglesia-tienda sea muy hermosa.

Dios le dio a Moisés todos los detalles y le mostró el modelo. La iglesia tendría que ser desmontable, porque ellos se mudarían mucho en el desierto; era muy diferente de las nuestras hoy. Se dividía en tres partes: el atrio (patio), el lugar santo y el lugar santísimo. Cada parte tenía una función.

En el atrio estaba el altar de los sacrificios y una pileta de bronce, donde los sacerdotes se lavaban las manos y los pies antes de entrar. En el lugar santo estaba el altar del incienso, la mesa con panes especiales, y el candelabro con siete lámparas, que debían estar encendidas todo el tiempo.

Entre el lugar santo y el lugar santísimo había una cortina bordada con hilos de oro. En el santísimo había una caja cubierta de oro, con una tapa llamada Propiciatorio, sobre la cual había dos ángeles de oro, y entre ellos un brillo muy fuerte que revelaba la presencia de Dios.

Cuando Moisés le dijo al pueblo que Dios quería que ellos diesen regalos para la construcción de la iglesia-tienda, todos participaron con alegría. Dieron tanto, que Moisés tuvo que decir:

—¡Hay demasiados regalos! ¡No necesitamos nada más! Gracias, ¡ya es suficiente!

Cuando
la iglesia-tienda
estuvo lista, una nube
la cubrió y el brillo de Dios
resplandecía a través de ella. Desde aquel día en adelante la nube cubrió la iglesia-tienda de día, y de noche había fuego arriba de ella a la vista de todo el pueblo.
Con eso, Dios estaba mostrándoles que le gustaba estar entre ellos.

Olvidándose de Dios
(Éxodo 32)

Moisés subió al monte para hablar con Dios. Como él se demoraba, el pueblo empezó a impacientarse. Luego surgió alguien con la idea de que Moisés había muerto allá arriba. Entonces exigieron que Aarón mandara esculpir un becerro de oro para adorarlo.

Aarón tuvo miedo del pueblo, y terminó haciendo lo que querían. Después ellos empezaron a bailar y a hacer cosas que los egipcios realizaban delante de sus ídolos en Egipto.

Dios vio lo que ocurría en el campamento y mandó que Moisés bajara, para poner orden entre el pueblo.

Cuando Moisés vio la confusión y a qué nivel de pecaminosidad había descendido el pueblo, adorando aquel ídolo, se enojó mucho y tiró las tablas de la Ley de Dios contra el piso, haciéndolas pedazos. Con eso, Moisés mostró que la gente estaba quebrando el compromiso de fidelidad que había hecho con Dios.

Aarón fue el gran culpable de aquella actitud tan fea por parte del pueblo. Dios se enojó con él, pero Moisés pidió que lo perdonara, y el mismo Aarón también pidió perdón. Y Dios lo perdonó. Pero entre el pueblo había mucha gente que no quiso arrepentirse. A estos, Dios los destruyó.

Los hombres que dudaron

(Números 13 y 14)

Después de algunos meses, el pueblo de Israel llegó a la orilla del río Jordán.

Dios mandó que Moisés enviara doce hombres para que espiaran la tierra que estaba del otro lado del río. Era la Tierra Prometida. Dios quería que ellos y sus hijos la ocuparan y fueran felices para siempre.

Después de cuarenta días espiando la tierra, los hombres regresaron y dijeron:
—La tierra es muy buena. ¡Miren sus frutos! —pero, con la cabeza baja continuaron—:
Sólo que los hombres son enormes y sus ciudades son grandes y fortificadas. Nosotros parecemos langostas cerca de ellos.

El pueblo empezó a quejarse, pero Caleb, uno de los espías, dijo:
—¡Esperen! Dios nos mandó tomar la tierra. ¡Hagámoslo! ¡Dios está con nosotros!
Pero sus compañeros dijeron:
—¡Nosotros no tenemos condiciones para luchar contra naciones tan fuertes!

Josué y Caleb intentaron animar al pueblo llorón, diciendo:
—Dios entregó esa gente en nuestras manos. Dios es más fuerte que ellos. ¡Vamos hacia allá! ¡Tomemos posesión de esa tierra que da leche y miel!

El pueblo, enojado, quiso tirarles piedras, pero Dios no lo permitió.

—Ustedes quedarán en el desierto para siempre. Sólo sus hijitos entrarán en la tierra que prometí a Abraham. ¡Vuelvan al desierto! —ordenó Dios.

Y, de toda aquella gente que salió de Egipto, sólo Josué y Caleb entraron en la Tierra Prometida... cuarenta años después.

Dios amaba mucho al pueblo de Israel. Y aún cuando muchas veces hacían cosas equivocadas, Dios siempre les perdonaba cuando se arrepentían. A veces Israel tenía que luchar contra los pueblos que vivían en el desierto, pero cuando confiaban en Dios, eran victoriosos.

La serpiente de bronce

(Números 21:4-9)

Durante una peregrinación por el desierto, el pueblo se cansó e impacientó con Dios y con Moisés. Reclamaron por la falta de pan y agua, y hasta del maná tan bueno que Dios mandaba desde el Cielo cada día. A Dios no le gustó eso, por lo que retiró, por algún tiempo, su protección del campamento.

Sin la protección de Dios, las serpientes venenosas del desierto entraron en el campamento y mordieron a todos los que se ponían en su camino.

El pueblo se desesperó.

—¡Moisés! —suplicaron—. ¡Nosotros pecamos! ¡Que Dios nos perdone!

Cuando Moisés oró al Señor Dios, él mandó que hiciera una serpiente de bronce enroscada en un poste de madera.

—Todo el que mire la serpiente, vivirá —dijo Dios—. Pero el que no la mire morirá.

Y así ocurrió. La serpiente de bronce no tenía ningún poder. Él quería que el pueblo aprendiera a obedecer y a conformarse con su voluntad.

El profeta que amaba más al dinero que a Dios

(Números 22-24)

Había un rey que tenía miedo de Israel. Su nombre era Balac. Él temía que Israel luchara contra su pueblo, pues sabía que Dios le daría la victoria. Él quería encontrar una manera fácil de derrotar a Israel. Por eso pidió que Balaam maldijera a Israel, pensando que esto alejaría a Dios de su pueblo.

Balaam era un ex profeta de Dios. Balac envió a algunos de sus oficiales con mucho dinero y cosas de valor para ofrecer y hacer que Balaam maldijera a Israel.

—¡No, Balaam! —dijo Dios—. No debes maldecir a Israel. No puedes maldecir a quien yo bendije.

Tiempo después, Balac mandó a otros hombres, más importantes que los primeros, con más regalos. El corazón de Balaam casi se detuvo cuando vio tantos regalos lindos y caros. "¡Oh, qué ganas de ir! ¡Qué bueno sería tener todo ese dinero!", pensó él.

Aquel dinero era
más importante
para Balaam que
la voluntad de
Dios.

Entonces, él tomó su asna,
llamó a dos siervos y fue
con los hombres.
Pero, por tres veces, un
ángel de Dios se puso
delante de su asna. Balaam
no vio al ángel, pero el
asna sí lo vio.

La
primera vez
que ella vio al ángel,
se salió del camino. En
la segunda, apretó el pie de
Balaam contra una pared de piedra,

y en la tercera
vez se acostó
en el piso, sin
importarle Balaam,
que estaba montado sobre
ella. Todas las veces él la
golpeó con fuerza.

—¿Qué hice yo para que me golpees tres veces? —preguntó ella.

—¡Ahora te burlas de mí! —contestó Balaam, que, de muy airado, ni percibió que hablaba con un animal. Luego Dios abrió los ojos de Balaam y él vio al ángel. Entonces, entendió.

Balac intentó tres veces hacer que Balaam maldijera a Israel. Pero no pudo, porque Dios no dejaba que Balaam profiriera maldiciones. En lugar de ello, pronunciaba bendiciones. Fue Balaam el que profetizó el nacimiento de Jesús en Belén de Judea.

La joven que creyó en Dios

(Josué 2)

Josué fue llamado por Dios para quedar en lugar de Moisés y conducir al pueblo para que ocupara la Tierra Prometida. Dios animó a Josué:

—Sé fuerte y muy valiente, Josué. Si caminas conmigo, yo te ayudaré.

Josué mandó a dos hombres, en secreto, para espiar Jericó, que estaba del otro lado del río Jordán. El rey descubrió que ellos estaban allí, pero no los encontró, pues se escondieron en una casa que estaba arriba del muro, y que pertenecía a una joven llamada Rahab.

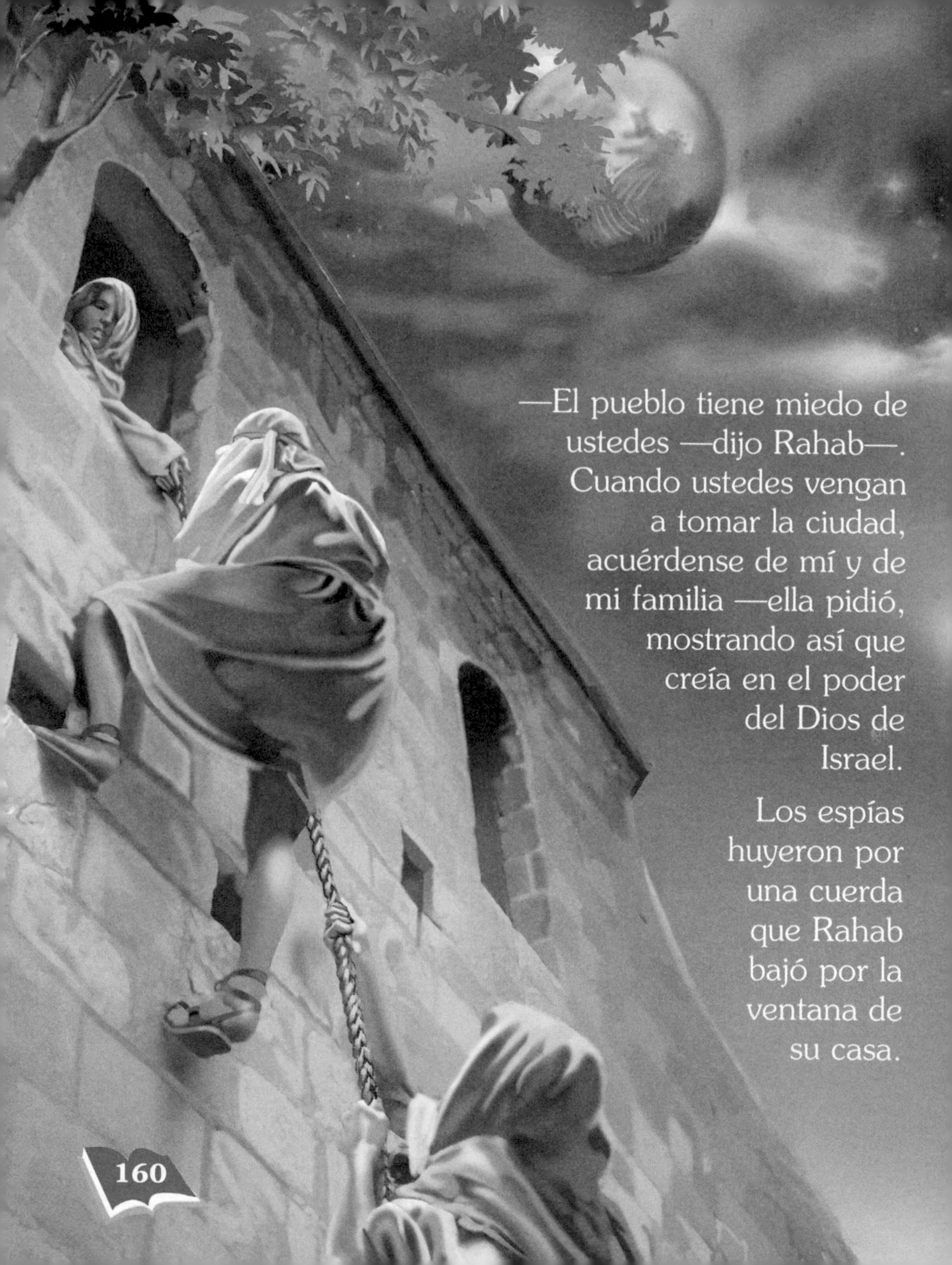

—El pueblo tiene miedo de ustedes —dijo Rahab—. Cuando ustedes vengan a tomar la ciudad, acuérdense de mí y de mi familia —ella pidió, mostrando así que creía en el poder del Dios de Israel.

Los espías huyeron por una cuerda que Rahab bajó por la ventana de su casa.

Rahab ató una cinta roja en la ventana de su casa para que los espías supieran dónde vivía ella el día en que tomaran la ciudad.

La caída de Jericó

(Josué 3; 4; 6)

—Cuando ustedes escuchen a los sacerdotes llevando el arca del Señor en dirección al río Jordán —dijeron los jefes de Israel—, tomen sus cosas y sigan a los sacerdotes. Ellos se dirigieron al río Jordán y el pueblo fue detrás, esperando ver lo que el Señor haría en aquella hora.

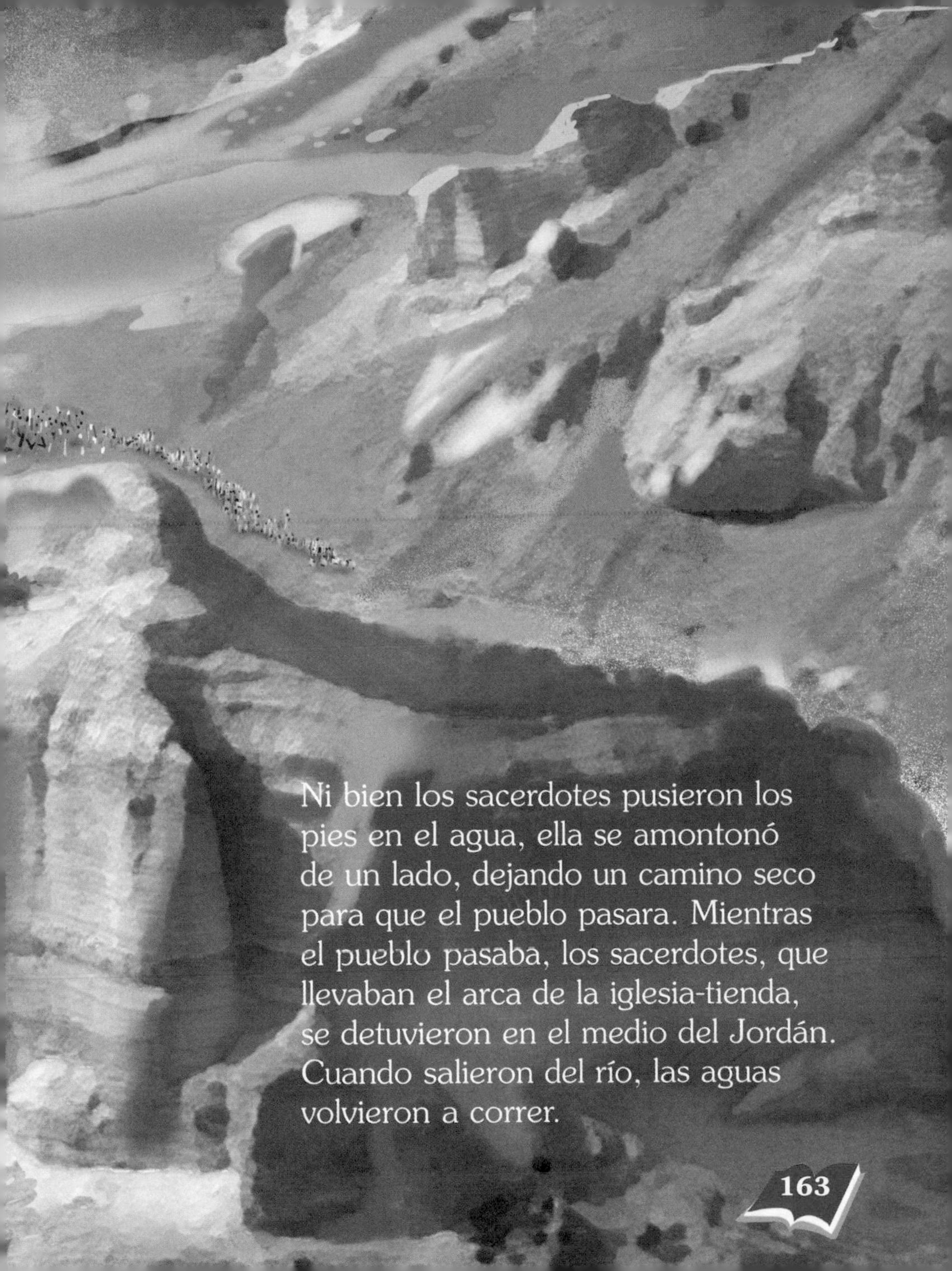

Ni bien los sacerdotes pusieron los pies en el agua, ella se amontonó de un lado, dejando un camino seco para que el pueblo pasara. Mientras el pueblo pasaba, los sacerdotes, que llevaban el arca de la iglesia-tienda, se detuvieron en el medio del Jordán. Cuando salieron del río, las aguas volvieron a correr.

Todos los portones de Jericó estaban trancados. El pueblo de la ciudad moría de miedo. Y con razón, ya que ellos conocían la historia del Mar Rojo, del paso por el río Jordán, de las victorias contra los reyes que quisieron hacerle guerra a Israel. Había razón de sobra para sentir miedo.

Para conquistar la ciudad de Jericó, Dios mandó que algunos sacerdotes llevaran el arca del pacto, seguidos por siete sacerdotes más tocando trompetas de cuerno de carnero.

A continuación debían pasar los soldados en silencio, dando una vuelta alrededor de la ciudad. Debían hacer eso durante seis días.

En el séptimo día debían dar siete vueltas alrededor de la ciudad. En la séptima vuelta, cuando los sacerdotes tocaran las trompetas, el pueblo debía gritar con todas las fuerzas. En ese instante Dios actuaría, derribando los altos y fuertes muros de Jericó, y los hijos de Israel debían entrar y tomar la ciudad.

Josué ordenó que sacaran a Rahab y su familia de su casa y la llevaran al campamento de Israel. Eso hicieron, gracias a la cinta roja que la joven colgó en la ventana de su casa arriba del muro. Rahab se salvó porque creyó en Dios, y pasó a formar parte de su pueblo.

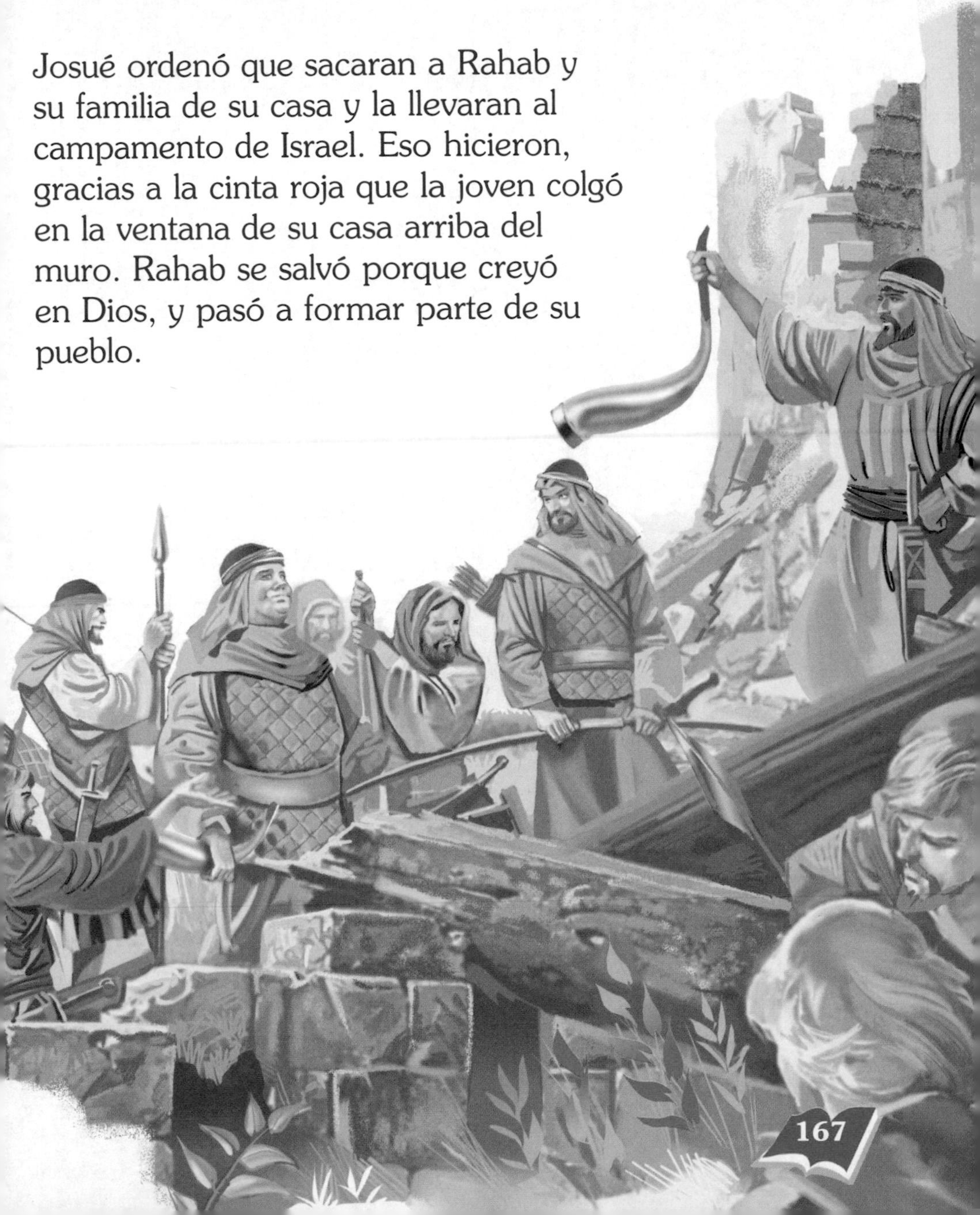

El soldado desobediente

(Josué 7 y 8)

¡La victoria de Israel contra Jericó fue estruendosa! Tiempos después ellos marcharon contra la pequeña ciudad de Hai. Pero la derrota fue muy triste; fueron heridos y perseguidos.

Y volvieron avergonzados al campamento. Josué, de tanta tristeza, rasgó sus ropas y lloró delante de Dios.
—¡Josué! —llamó el Señor Dios—. ¿Por qué lloras?

—Es porque los soldados de aquella ciudad chica nos derrotaron —contestó Josué—. Yo no entiendo por qué. ¡Todo estaba bien!
—Alguien me desobedeció —dijo Dios.

—Mañana temprano hagan un sorteo y encontrarán al culpable —dijo el Señor.
El culpable era Acán. Él había tomado cosas de la ciudad que Dios había dicho que no tomaran y, con la ayuda de su familia, las había enterrado debajo de la tienda. Acán se olvidó de que Dios ve todo. Él y su familia tuvieron que morir.

Después de haber arreglado todo con Dios, los soldados de Israel volvieron a atacar Hai y, esta vez, salieron victoriosos.

La astucia de los gabaonitas

(Josué 9)

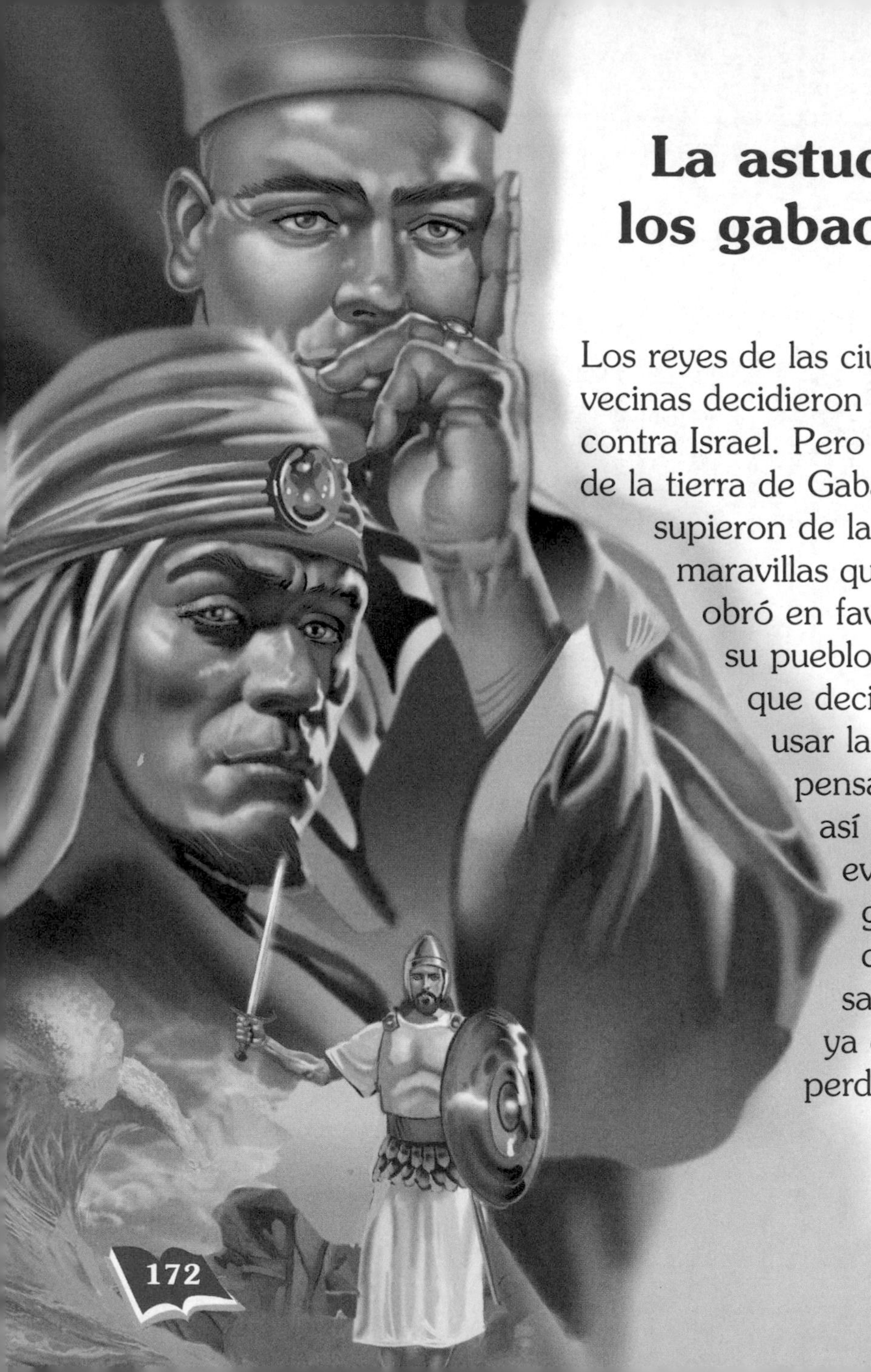

Los reyes de las ciudades vecinas decidieron guerrear contra Israel. Pero los jefes de la tierra de Gabaón supieron de las maravillas que Dios obró en favor de su pueblo. Por lo que decidieron usar la mentira, pensando que así podrían evitar una guerra que, ellos sabían, ya estaba perdida.

Gabaón era un lugar que quedaba a corta distancia del campamento de Israel. Los jefes, entretanto, queriendo dar la impresión de que su ciudad quedaba muy lejos, mandaron a algunos hombres para que fingieran ser embajadores. Ellos vistieron ropas viejas, calzaron zapatos gastados, pusieron pan mohoso en una bolsa, remendaron una botella de vino hecha de cuero, y le dijeron a Josué que venían de muy, muy lejos para hacer un tratado de paz con Israel.

Josué y el pueblo se olvidaron de pedir el consejo de Dios. Aceptaron hacer el tratado de paz, y pocos días después supieron del engaño. Para conservarse vivos, los gabaonitas usaron la mentira. Por eso, ellos tuvieron que ser esclavos de Israel para siempre.

Gedeón, el elegido de Dios

(Jueces 6-8)

El pueblo se olvidó de Dios. Para ayudarlos a recordarlo, Dios dejó que los pueblos de aquellas tierras los dominaran. Pero cuando ellos se arrepentían, Dios mandaba a alguien para librarlos de sus enemigos. Una de esas personas se llamaba Gedeón.

Dios mandó que Gedeón convocase un ejército para que luchara contra sus enemigos. Treinta y dos mil hombres aceptaron el llamado. El ejército del enemigo era mucho mayor, pero, con todo eso, Dios dijo:

—Tienes demasiada gente, Gedeón. Manda una buena parte a la casa.

A Gedeón le pareció extraño el pedido, pero obedeció. Después que los primeros hombres se fueron, sobraron solamente diez mil.

—Todavía tienes demasiada gente, Gedeón —dijo Dios. Y ordenó:

—Manda a esa gente que vaya hasta el río a beber agua y yo te diré quién debería ir.

Cuando los soldados llegaron al río, algunos se acostaron en el agua y bebieron tranquilamente. Otros solamente se agacharon deprisa y llenaron la mano, tomando el agua mientras corrían hacia el campo de batalla.

—Gedeón —llamó Dios—, manda que se vayan los que se acostaron en el agua.

Ahora, Gedeón tenía sólo trescientos hombres. ¿Qué hacer con esa mísera cantidad de gente? Pero Dios sabía exactamente qué hacer. Él ordenó:

—Divide tus soldados en tres compañías, dale una trompeta a cada uno y una antorcha encendida con un cacharro de barro encima para esconder la luz.

Cuando los soldados de Gedeón, en medio de la noche, se aproximaron al campamento del enemigo dormido, se acercaron desde tres direcciones, tocando sus trompetas, con las antorchas encendidas y gritando a todo pulmón. Los soldados enemigos huyeron asustados, e Israel venció en la batalla por el poder de Dios.

Sansón, el hombre más fuerte del mundo

(Jueces 13-16)

Un día se le apareció un ángel a la esposa de Manoa, diciendo: —Tendrás un bebé. Él empezará a librar a Israel del poder de los filisteos. No debes tomar bebidas alcohólicas, ni comer carnes inmundas. Cuida bien de la salud del bebé y nunca cortes su cabello.

Sansón creció y se puso cada vez más fuerte. Un día, él se enamoró de una joven filistea. Pero esa joven no había aprendido a amar a Dios; de todos modos, a Sansón no le importó. Sansón no se interesaba mucho por lo que Dios quería para él.

Mientras Sansón se dirigía a la casa de su novia, un león saltó al camino por donde debería pasar. Él no tuvo dudas. Para salvar su vida, tomó al león por la boca y lo rasgó por la mitad, matándolo en el momento. El Espíritu Santo le había dado esa fuerza especial.

Una noche Sansón durmió en la ciudad de Gaza. Sus enemigos lo descubrieron y cerraron todas las salidas de la ciudad, pensando que así podrían atraparlo. Pero, de madrugada, Sansón tomó uno de los portones y lo arrancó, con sus dos pilares y cerrojo. Luego puso el portón sobre sus espaldas y salió.

Sansón parecía invencible. Pero un día, una joven llamada Dalila entró en su vida. Ella insistía en saber cuál era el secreto de su fuerza (pues, si lo descubría, ganaría mucho dinero de los enemigos de Sansón). Ella insistió tanto que, finalmente, Sansón contó que la fuerza estaba en sus cabellos.

Cuando Sansón durmió, Dalila cortó sus cabellos y, como ya había hecho otras veces, gritó:

—¡Sansón! ¡Los filisteos vienen a atacarte!

Sansón pensó que su fuerza lo libraría, pero los filisteos lo ataron y lo llevaron como esclavo.

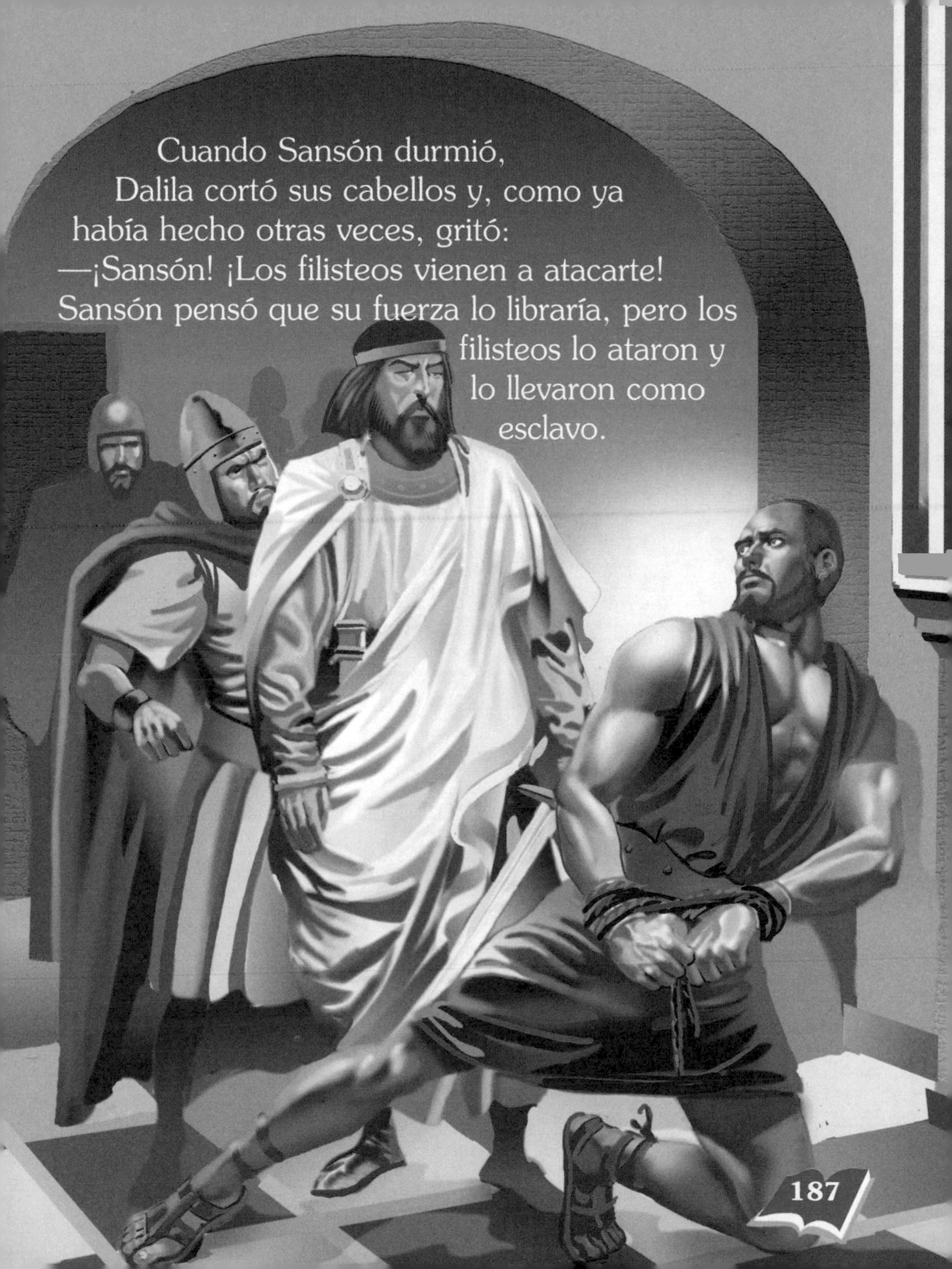

Sansón tuvo que trabajar haciendo girar un molino. Con el tiempo su cabello volvió a crecer; y también su fe en Dios. Una noche, en el templo de los filisteos, donde las personas se reían y se burlaban de él, Sansón se apoyó en las dos vigas centrales del edificio y derribó el templo, muriendo con los demás.

Samuel, el niño profeta

(1 Samuel 1-3)

Todos los días Ana le pedía a Dios que le diera un hijito. A veces se ponía tan triste por no tener un bebé, que lloraba. Un día, mientras estaba en la iglesia-tienda, orando, le prometió a Dios que si le daba un hijo, ella se lo devolvería.

Dios escuchó la oración de Ana y le dio un lindo niño, que recibió el nombre de Samuel, que quiere decir: "Lo pedí a Jehová". Cuando Samuel tuvo más de tres años de edad, Ana lo llevó a la iglesia-tienda para cumplir la promesa que le había hecho a Dios de devolverle el niño.

Samuel pasó a vivir con la familia del sacerdote Elí. Él extrañaba a su mamá, pero aprendió desde muy pequeño que pertenecía a Dios. Samuel también aprendió a trabajar en el templo, y cada año su madre lo visitaba y le llevaba de regalo una ropa nueva, toda hecha de lino.

Samuel amaba a Dios y conversaba con él todos los días. Una noche, cuando se fue a dormir, él escuchó que alguien lo llamaba por su nombre:
—¡Samuel, Samuel!
Pensando que era el sacerdote Elí, corrió hacia él y le dijo:
—Aquí estoy. ¿Usted me llamó?

Eso ocurrió tres veces. A la tercera vez, Elí entendió que Dios quería conversar con Samuel, por eso aconsejó:
—Cuando escuches tu nombre otra vez, solamente contesta: "Habla, Señor, porque tu siervo oye".

Cuando Samuel escuchó la voz de Dios por cuarta vez, dijo:

—Habla, porque tu siervo oye.

Dios habló con él y, desde aquella noche, Samuel se tornó un profeta de Dios. Un niño profeta.

El primer rey de Israel
(1 Samuel 7:2-4; 8)

El pueblo de Israel tenía el mal hábito de imitar las costumbres de sus vecinos. Aprendieron a adorar incluso sus dioses de madera y de piedra. A Dios no le gustó eso. Entonces, Samuel pidió que el pueblo dejara los ídolos y sólo hiciera lo que agradaba a Dios. El pueblo escuchó el consejo de Samuel.

Cuando Samuel ya era viejito, el pueblo decidió que quería un rey, como sus vecinos. ¡Ese antiguo mal hábito de querer imitar a los que no amaban a Dios! Samuel se puso muy triste. Él pensó que el pueblo estaba cansado de él. Pero no era de Samuel que estaban cansados. ¡Era de Dios!

Hasta entonces Dios había sido el Rey de Israel. Pero el pueblo no quería un Rey invisible. Quería un rey que se pudiera ver y tocar.

—¡Samuel! —llamó Dios—. Atiende el pedido del pueblo.

Y él eligió a un hermoso joven, que se llamaba Saúl, para ser el primer rey de Israel.

Saúl decepciona a Dios

(1 Samuel 10; 13:13 y 14)

Cuando Saúl subió al trono, era humilde y amaba y respetaba a Dios. Pero, con el tiempo, el poder y el éxito le trastornaron la cabeza y Saúl se tornó un hombre muy orgulloso, al punto de pensar que su voluntad era más importante que la voluntad de Dios. Por eso, Dios no quiso más a Saúl como rey de Israel.

Dios elige a David
(1 Samuel 16)

Un día, Dios llamó a Samuel para mostrarle quién sería el rey que debía quedar en lugar de Saúl. Él envió a Samuel a la casa de un respetable señor llamado Isaí, que tenía ocho hijos. Uno de ellos debía ser el nuevo rey de Israel.

Cuando llegó a la casa de Isaí, éste le presentó a Samuel a siete de sus hijos. Pero Dios no había elegido a ninguno de ellos como el nuevo rey de Israel.

—¿No tienes ningún hijo más? —preguntó Samuel.

—Tengo —contestó Isaí—. Pero él es muy joven y está cuidando las ovejas en la pradera.
Entonces Samuel dijo:
—Manda llamarlo.
Y cuando Samuel vio a David, Dios le dijo:
—Levántate, Samuel, porque éste será el nuevo rey de Israel.

David, el niño pastor
(1 Samuel 17)

Un día, mientras David cuidaba las ovejas de su padre, un enorme oso apareció de sorpresa y atrapó a uno de los animales del rebaño. Cuando él vio lo que pasaba, en vez de huir, corrió detrás del oso y lo mató, librando así a la oveja. ¡David era un joven con coraje!

Otra vez, cuando los hermanos de David estaban en el campo de batalla, su padre le pidió que les llevara comida. Cuando llegó al campamento, David escuchó un alboroto. Eran los gritos desafiantes de un soldado enemigo. ¡Aquel era el soldado más grande que David ya había visto en toda su vida!

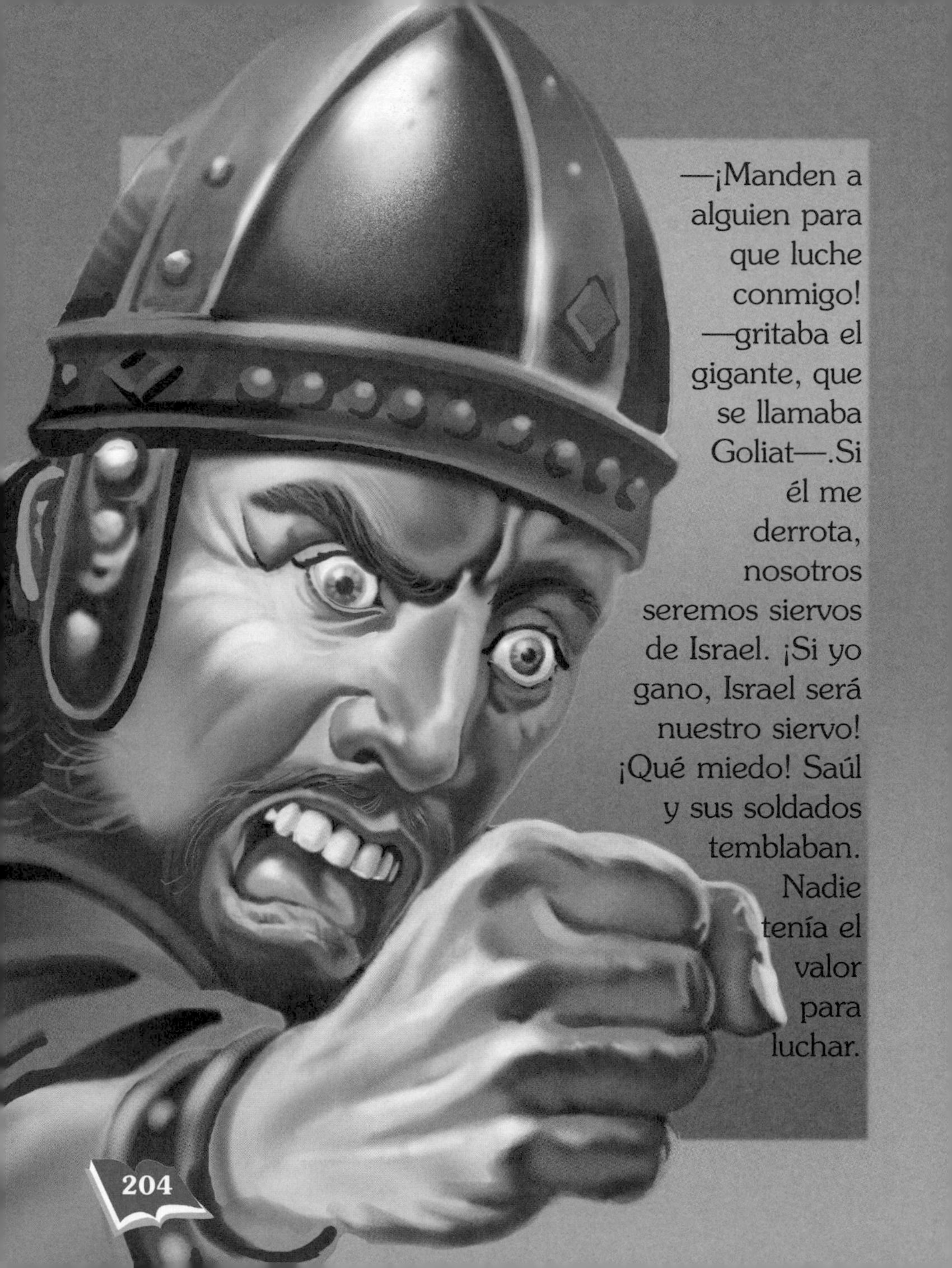

—¡Manden a alguien para que luche conmigo! —gritaba el gigante, que se llamaba Goliat—. Si él me derrota, nosotros seremos siervos de Israel. ¡Si yo gano, Israel será nuestro siervo! ¡Qué miedo! Saúl y sus soldados temblaban. Nadie tenía el valor para luchar.

David llegó justamente en ese momento. Él escuchó que Goliat ofendía a los soldados de Saúl. Vio que nadie hacía nada. Entonces decidió él mismo luchar contra el gigante. ¡Él sabía que Dios lo cuidaría, como cuidó cuando libró a la oveja de su padre de las garras del enorme oso!

David le pidió permiso al rey Saúl y después fue hacia el río, de donde sacó cinco piedras. Cuando Goliat vio al joven que quería luchar contra él, se ofendió. Con una risa libertina, gritó:

—¿Piensas que yo soy un perro para que vengas a mí con palos y piedras?

—Tú vienes a mí con espada, lanza y jabalina; ¡pero yo voy contra ti en el nombre de Dios! —contestó David. Goliat se enfureció. Dejó a su ejército atrás y corrió en dirección a David para terminar con él. Entonces David puso una piedra en la honda, la tiró a la frente del gigante y allí fue a dar.

¡Qué caída! Goliat no esperaba que David fuera tan ágil. Él no sabía que la fuerza de un niño que confía en Dios es mayor que la de un enorme gigante lleno de músculos.

Después de eso, los soldados persiguieron a los filisteos y vencieron en la batalla.

El gran amigo de David

(1 Samuel 18; 19; 23:15-18)

Ahora David era el gran héroe de Israel. Todos lo querían, menos Saúl. "Sólo falta que David sea rey", pensaba Saúl, "y que me quite el reino a mí y a mi familia". Y para complicar las cosas, David y Jonatán, hijo del rey, se habían hecho grandes amigos. Saúl hasta quería matar a David.

Un día, mientras David tocaba el arpa para calmar al rey, Saúl tiró una lanza hacia el muchacho, pero le falló la puntería. David huyó y se escondió de Saúl. Jonatán fue a encontrarlo y los dos se despidieron. ¡Qué tristes estaban! Fue muy difícil para estos dos buenos amigos separarse.

David, el nuevo rey de Israel

(2 Samuel 1 y 2; Salmo 23)

Saúl reinó muchos años, pero un día murió. Y también murió Jonatán. Ahora David se transformó en el nuevo rey de Israel. Él escribió muchos salmos, que son poesías para cantar. Uno de ellos es el lindo Salmo del Pastor, el Salmo 23.

"Jehová es mi pastor,

nada me faltará. En

lugares de delicados pastos me

hará descansar. Junto a aguas de

reposo me pastoreará..."

David reinó por muchos años y fue un buen rey. Él entregó su vida a Dios y se arrepintió sinceramente de los errores y pecados que había hecho.

David se equivocó varias veces. Pero no le gustaba equivocarse. Dios lo aceptó por eso. A David lo llamaron *El hombre que tiene el corazón como le gusta a Dios*.

Salomón, el hombre más sabio del mundo

(1 Reyes 1-3, 6 y 11)

David murió muy viejito. Dios eligió a Salomón, su hijo, para reinar en su lugar. Una noche, mientras Salomón dormía, Dios le preguntó:

—Salomón, ¿qué quieres que yo te dé?

Salomón contestó:

—Quiero sabiduría para juzgar a este pueblo.

A Dios le gustó su respuesta y, además de sabiduría, le dio mucha fama y riqueza. Una vez le llevaron a dos mujeres. El hijo de una de ellas murió y ella cambió el niño por el niño vivo de la otra mujer.

Salomón debía descubrir de quién era el niño vivo.

Salomón decidió la cuestión mandando al soldado a tomar el niño y cortarlo por la mitad para que cada una tuviera un pedazo. La madre verdadera amaba a su hijito; por eso gritó, con desesperación:

—¡No, no mates al bebé!

Salomón mandó entregar el bebé a su verdadera madre.

David quiso mucho construirle un templo a Dios, pero el Señor dijo que era Salomón el que debía construirlo. David ya había conseguido todo el material necesario, y Salomón sólo tuvo que empezar. El templo quedó muy hermoso, y, en el día de la inauguración, Dios llenó el lugar con su presencia.

Salomón no anduvo siempre en los caminos de Dios. Se casó con muchas mujeres. Con el tiempo se puso a adorar los ídolos que ellas adoraban y se olvidó de Dios. Sin embargo, el Señor Dios tuvo misericordia de Salomón, y lo perdonó cuando él se arrepintió.

Salomón escribió los libros de *Proverbios*, que son consejos llenos de sabiduría; *Eclesiastés*, en el cual exalta la sabiduría y muestra cómo la vida es pasajera; y *Cantares*, que es una canción de amor que compara el amor entre esposo y esposa con el amor de Dios por su pueblo.

Elías, el hombre de Dios

(1 Reyes 16:29-34; 17:1-7)

Después de Salomón, otros reyes dominaron Israel. Pero la mayoría no amaba a Dios. Entre ellos estaba el rey Acab, que se casó con Jezabel. Ella era muy mala e hizo que Acab también fuera malo. Acab y Jezabel enseñaron al pueblo a adorar ídolos, lo que entristeció a Dios.

Un día, el profeta Elías le dijo a Acab:
—Eres muy malo, y por eso no lloverá por mucho tiempo. Todo se secará y la comida terminará. Esto ocurrirá para que tú y el pueblo se arrepientan de sus pecados.

Al escuchar eso, Acab quedó sin habla. Antes que él tuviera tiempo de decir algo, Elías salió y nadie supo hacia dónde había ido. Dios lo envió a un lugar distante, en el que había mucha agua. Y allí los cuervos le llevaban pan y carne con su pico. Dios cuidó de Elías porque él lo amaba mucho.

La tierra se secó y no había qué comer. ¡Cómo quería Dios que su pueblo se acordara de que él era quien enviaba la lluvia y el sol, y hacía crecer las plantas! Pero el pueblo pensaba que eran los ídolos los que hacían esas cosas. Con la sequía, sabrían quién estaba al mando.

La mujer que confió en Dios

(1 Reyes 17:8-24)

El tiempo pasó, y hasta el riachuelo donde Elías sacaba agua para beber se secó. Entonces Dios envió a Elías a Sarepta, una ciudad donde vivía una mujer viuda que tenía sólo un hijo.

—Por favor —Elías le pidió a la mujer—,
—dame un poco de agua y pan.
—Sólo tengo un pedazo de pan —contestó ella—. Si comes, mi hijo y yo moriremos.
—Dios cuidará de ustedes —dijo Elías.
Entonces, ella le dio el pan y el agua.

—¡Mamá! —gritó el niño, mirando dentro del jarro—. ¡Aquí todavía hay aceite!

La madre fue a mirar, ¡y realmente había!

—¡Y todavía hay harina en la tinaja! —ella exclamó—. ¡Puedo hacer más pan!

Y pudo hacer muchos panes. Dios no dejó faltar el alimento.

Un día el niño enfermó; tan enfermo, que murió. La madre bondadosa lloró y lloró. Elías sintió compasión por ella y le pidió a Dios que resucitara al niño. Y Dios atendió el pedido. ¡Qué alegría! Aquella madre nunca más dudó de Dios.

La prueba de fuego
(1 Reyes 18)

Ya hacía tres años y medio que no llovía. Los ojos picaban, la garganta dolía. La respiración era difícil por causa del polvo que había en el aire. Los animales no tenían pasto para comer. No había comida ni agua. Las personas querían mucho que lloviera. ¿Habrían aprendido que es Dios quien manda la lluvia?

J. Cord

Llegó el día en que Elías sabría si el pueblo había aprendido. Él llamó a todos los sacerdotes de Baal, al rey y a todo el pueblo para que se reunieran en la cima del monte Carmelo. Mandó que los sacerdotes de Baal construyeran un altar para ofrecerle un becerro a su dios.

Él también construiría un altar al Dios del Cielo. Aquel que contestara con fuego desde el cielo sería el verdadero Dios. Los sacerdotes de Baal pasaron casi todo el día saltando alrededor del altar, gritando:
—¡Oh Baal, envía fuego del cielo para mostrar que tú eres dios!

Cuanto más saltaban y gritaban, más cansados quedaban. Cuando vieron que nada ocurría, empezaron a lastimarse con cuchillos y a gritar todavía más fuerte. Pero nada ocurrió.

Elías empezó a reírse y a burlarse de ellos:

—¡Griten más fuerte! Quizá su dios está durmiendo o paseando...

Al final de la tarde, cuando ellos cayeron de cansancio, Elías reconstruyó el altar de Dios, puso sobre él un becerro cortado en pedazos, hizo una zanja alrededor y pidió que las personas la llenasen de agua y tiraran bastante agua sobre el sacrificio. Todo quedó empapado.

Entonces, Elías se arrodilló y oró con calma y confianza:
—Señor Dios, muestra que tú eres Dios. Envía fuego desde el cielo y consume este sacrificio. Haz que este pueblo vuelva a ti.
En el mismo instante, Dios envió fuego del cielo.
El fuego de Dios quemó no sólo todo el sacrificio empapado, sino también las piedras y el agua que estaban alrededor del altar.

El pueblo quedó fascinado, y exclamó como si fuera una sola persona:
—¡El Señor es Dios! ¡El Señor es Dios!
Bien, parece que finalmente aprendieron que sólo Dios puede enviar lluvia.

Dios lleva a Elías al cielo

(2 Reyes 2:1-14)

Elías tenía un ayudante. Su nombre era Eliseo. Eliseo acompañaba a Elías a todos los lugares adonde él iba. Un día ellos tuvieron que cruzar el río Jordán. Elías tomó su capa, golpeó con ella el agua y Dios abrió un camino seco en medio del río. Eliseo vio que Dios amaba mucho a Elías.

Dios quería que Elías estuviera para siempre a su lado. Entonces, envió desde el Cielo un carruaje todo hecho de fuego. Elías subió en él y dejó su capa con Eliseo. Elías se fue al Cielo y Eliseo quedó en su lugar para continuar el trabajo de enseñar al pueblo a amar a Dios.

Jonás, el profeta de mala voluntad

(El libro de Jonás)

Nínive era una ciudad muy grande. Para cruzarla se necesitaban tres días de caminata. Pero también era una ciudad habitada por personas muy malas. Dios estaba cansado de ver tanta maldad.

Para ayudar a los ninivitas, Dios llamó a Jonás para que les avisara que si no se arrepentían, su ciudad sería destruida. Pero Jonás pensó: "Creo que Dios perderá su tiempo con ese pueblo. Ellos son muy malos. Yo no iré allá". Y tomó un barco que lo llevaría lejos de Nínive.

Jonás fue a la bodega del barco, se acostó y pronto se durmió. De repente, una gran tempestad empezó a mover el barco. Los hombres, con miedo, tiraron la carga al mar, clamaron a sus dioses pidiendo protección y despertaron a Jonás para que también clamara a Dios. Pero Dios no podía oírlo, pues Jonás estaba huyendo de él. Entonces ellos decidieron echar suerte para descubrir al culpable, y la suerte cayó sobre Jonás.

—Si ustedes me lanzan al mar, nadie morirá. Yo soy el culpable por esta tormenta —afirmó Jonás, sabiendo que huía del deber.

¡Uno, dos y... tres! ¡Allá fue Jonás hacia el fondo del mar! ¡Pero, qué susto! Un enorme pez apareció, nadó en dirección a Jonás y lo tragó de una vez. ¡Imagina cómo se sintieron aquellos hombres! Pero Dios envió al pez para salvar a Jonás.

Jonás oró adentro de la barriga del pez: “Señor, si me sacas de aquí, correré a Nínive y cumpliré mi deber de avisarle a las personas acerca de la destrucción, si no se arrepienten”. Tres días después, el gran pez vomitó a Jonás en una playa, y él fue a Nínive.

—¡Arrepiéntanse! ¡Arrepiéntanse! ¡De aquí a cuarenta días Dios los destruirá si no dejan sus malos caminos! —Jonás gritaba por las calles de Nínive.
Cuando el rey escuchó eso, se vistió de saco y puso cenizas sobre su cabeza, mostrando que estaba arrepentido. Todo el pueblo se arrepintió.

Jonás salió de la ciudad y quedó bajo la sombra de una calabacera; estaba triste porque Dios no había destruido la ciudad. Luego Dios secó la calabacera y Jonás quedó sin sombra. Él tuvo lástima de la calabacera que se secó, pero no tuvo lástima del pueblo que Dios perdonó. Jonás tenía mucho que aprender.

Cuatro amigos fieles a Dios

(Daniel 1)

Daniel vivía con su familia en Jerusalén. Él había aprendido a amar a Dios. Un día, los soldados del rey Nabucodonosor entraron en Jerusalén y tomaron prisioneras a varias personas. También hicieron cautivos a Daniel y a tres de sus amigos. A todos los llevaron a Babilonia.

El rey Nabucodonosor eligió a los muchachos más hermosos de entre los prisioneros para que estudiaran en su escuela y comieran de su mesa. Daniel y sus tres amigos estaban entre ellos. Sólo que no quisieron comer de la comida del rey. La ofrecían a los dioses, y ellos sólo adoraban el Dios del Cielo.

—Permítannos comer sólo legumbres y beber solamente agua —ellos le pidieron al cocinero jefe que debía cuidarlos. Él concordó.

Diez días después, Daniel y sus tres amigos estaban más fuertes y hermosos que los prisioneros que comían de la mesa del rey.

El sueño del rey

(Daniel 2)

Una noche, el rey Nabucodonosor tuvo un sueño, pero, cuando se despertó, olvidó lo que había soñado. Entonces anunció que, si los sabios del reino no le decían lo que había soñado y no daban el significado del sueño, todos ellos morirían.

Daniel, con mucho cuidado para no ofender, le dijo al jefe de la guardia del rey:

—Por favor, pida al rey que espere un poco más. Oraré a Dios pidiendo que me muestre lo que él soñó y me dé la interpretación.

Daniel oró, y Dios le dio el mismo sueño.

—Usted vio una estatua con la cabeza de oro, los brazos y el pecho de plata, el vientre y los muslos de bronce, las piernas de hierro, y los pies de hierro y de barro —explicó Daniel, mientras el rey oía asombrado.
Después Daniel le explicó que la estatua simbolizaba los reinos del mundo.

El rey quedó encantado con Daniel y, además de darle muchos regalos, lo puso como gobernador de la gran Babilonia y jefe de los sabios del reino. Daniel le pidió al rey que le diera, como ayudantes, a sus tres amigos. Y el rey consintió. Daniel era amigo de Dios, y Dios lo bendijo.

El horno ardiente
(Daniel 3)

El rey Nabucodonosor se animó tanto cuando escuchó que Daniel le dijo que la cabeza de oro de la estatua representaba el reino de Babilonia, que decidió hacer una estatua toda de oro. Él no quería que hubiera otro reino después de él; él quería reinar para siempre. Pero Dios no quería eso.

La estatua de oro
que el rey mandó
hacer era enorme.
Era tan alta como un
edificio de seis pisos.
Él mandó llamar a
todas las autoridades
de su reino para que, al
sonido de las trompetas,
se arrodillaran para
adorar la estatua.
Quien no se arrodillara
sería lanzado en
el horno de fuego
ardiente.

Había una enorme multitud alrededor de la estatua. Cuando las trompetas tocaron: *¡Tarara-taratara!*, todos se arrodillaron para adorarla. ¡Nadie quería ser lanzado en el horno de fuego! Pero, ¿quiénes eran aquellos tres hombres que permanecían de pie? ¿Será que ellos no temían el fuego?

Luego apareció quien quiso chismearle al rey:
—¡Majestad! ¡Los tres amigos de Daniel no se arrodillaron!

El rey se enfureció. Mandó llamarlos. Quiso darles una nueva oportunidad. Ellos no aceptaron la oportunidad. Entonces el rey ordenó que los lanzaran al fuego.

Pero al instante siguiente de arrojar a los tres jóvenes en el fuego, ¡había alguien más con ellos!

—¿Quién está allí con los tres hombres? ¡Parece un dios! —exclamó el rey.

Era Jesús. Él vino para protegerlos del fuego, porque habían obedecido a Dios y no temieron al rey. El rey, sorprendido, vio que el fuego no les había hecho mal alguno.

Daniel en la cueva de los leones
(Daniel 6)

Daniel era una persona muy correcta. ¡Por supuesto, él amaba a Dios! Oraba tres veces al día, y era bueno con todos. Pero Daniel tenía enemigos. Ellos tenían celos de Daniel. Querían su puesto. En verdad, querían matarlo. Así que le tendieron una trampa, y fueron a hablar directamente con el rey.

—¡Majestad! Por favor, firma esta ley que prohíbe a las personas que oren a otro dios que no seas tú. Quien no obedezca, deberá ser lanzado a la cueva de los leones.
Y el rey firmó, pero se olvidó de Daniel.

El rey se entristeció mucho, pero como la palabra de rey no vuelve atrás, tuvo que enviar a Daniel a la cueva de los leones.

Cuando llegó allí abajo, Daniel vio a un gran ángel, quien no dejó que los leones le hicieran algún daño. Daniel era fiel a Dios, y Dios lo protegió. El rey mandó sacar a Daniel de allí y castigó a sus enemigos. ¡Qué bueno es amar a Dios!

NUEVO TESTAMENTO

Juan el Bautista

(Marcos 1:2-6; Lucas 1:5-25)

Elisabet y Zacarías eran viejitos, pero no tenían hijos. Ellos amaban a Dios y querían mucho tener un hijito. Dios les dio un niño, a quien el ángel dio el nombre de Juan. Cuando Juan creció, vivió en el desierto. Allí él empezó a hablarle al pueblo acerca de la llegada del Mesías.

Juan bautizaba a las personas en el río Jordán. Por eso lo llamaban *Juan el Bautista.* Él invitaba a las personas para que se entregaran a Dios y sólo hicieran cosas buenas. Dijo que debían dejar de mentir, robar y maldecir. Muchas personas le entregaron la vida a Dios y, después, aceptaron a Jesús.

Jesús, el Salvador
(Lucas 1:26-38; 2:1-20)

María era una joven que amaba mucho a Dios. Un día el ángel Gabriel habló con ella.

Él dijo:
—¡María, ponte feliz! ¡Serás la madre de Jesús! ¡Él salvará a su pueblo de sus pecados!
¡Qué sorpresa para María! Ella aceptó la voluntad de Dios.

Después de eso, María se casó con José. Cuando estaba en el tiempo de que naciera Jesús, los dos tuvieron que ir a Belén. Cuando llegaron, encontraron todos los hoteles completos, porque todos los que habían nacido allí tuvieron que regresar para registrarse. María y José tuvieron que pasar la noche en un establo.

En medio de la noche,
mientras todos dormían, el cielo
se llenó de cánticos de alabanza.
¡Es que entre los animales del
establo había nacido el niño Jesús!
Pobre entre los pobres, vino para salvar a
su pueblo de sus pecados.

Algunos pastores, que cuidaban el rebaño, de repente vieron una fuerte luz. Eran ángeles del Cielo que les anunciaban el nacimiento de Jesús.

—Vayan a Belén y encontrarán un Niño envuelto en pañales, acostado en un pesebre.

Y los pastores salieron corriendo.

Una estrella diferente en el cielo

(Mateo 2:1-12)

Muy lejos de allí vivían unos sabios astrónomos que amaban a Dios. Una noche, ellos vieron una estrella diferente en el cielo y, como también estudiaban las Escrituras, entendieron que ella anunciaba el nacimiento del Rey de los judíos. Se prepararon y siguieron la estrella, que los condujo a Jerusalén.

En Jerusalén preguntaron por el recién nacido Rey de los judíos. Nadie sabía siquiera algo. Herodes, el rey, se puso celoso. "¿Qué rey es ese? ¡Yo soy el único rey!", pensó él. Y fingiendo que también quería adorarlo, mandó que los sabios siguieran la estrella y después le dijeran dónde estaba Jesús.

La estrella los guió hasta Belén y se posó sobre la casa donde estaba el Niño.

Los sabios entraron en la casa y encontraron al Niño con María, su madre. Entonces se arrodillaron delante de él y lo adoraron. Después abrieron sus cajas y le ofrecieron regalos: oro, incienso y mirra.

Por la noche,
mientras dormían, un
ángel le habló a los sabios,
en sueño, de que no debían regresar
por el mismo camino, porque el rey tenía la
intención de hacerle mal al Niño. Y, obedientes,
regresaron a su tierra por otro camino.

La infancia de Jesús
(Mateo 2:13-15; Lucas 2:41-52)

Una noche, mientras José dormía, un ángel le dijo en sueño:
—José, toma a María y al Niño y ve con ellos a Egipto. El rey Herodes está buscando al Niño para matarlo.

José se despertó, llamó a María, arreglaron sus cosas y, de madrugada, huyeron con el Bebé a Egipto.

Jesús era un niño como cualquier otro. Le gustaba jugar, escuchar las historias de la Biblia que le contaba su madre, pasear por la naturaleza, tener amiguitos...

Jesús también ayudaba a su padre, José, en la carpintería, y a su madre, María, en las tareas de la casa.

Cuando Jesús tuvo doce años, hizo su primer visita al Templo en Jerusalén. Cuando vio los sacrificios de los corderitos inocentes, entendió que él era el *Cordero de Dios que quita el pecado del mundo,* y que un día debía morir como un corderito, por ti y por mí.

A Jesús le gustó tanto el Templo que se olvidó de acompañar a sus padres. José y María, por su lado, pensaron que él estaba con los amiguitos. Y cuando llegó la hora de regresar a la casa, Jesús quedó conversando con los sacerdotes, que se sorprendieron con su sabiduría.

Cuando José y María se dieron cuenta de la ausencia de Jesús, ya habían viajado un día entero. ¡Cómo se preocuparon!

—¿Ustedes vieron a Jesús? —preguntaban a los amigos.

Pero nadie lo había visto. Entonces, decidieron regresar.

Ellos caminaron y caminaron. Finalmente, cuando estaban en los alrededores del Templo, escucharon la voz familiar de Jesús. Pidieron que lo llamaran.

—¡Hijo! ¿Qué hiciste? ¡Tu padre y yo casi morimos de susto!

—¿Por qué? ¿Ustedes no sabían que yo tenía que estar en la casa de mi Padre?

Jesús se prepara para cumplir su misión

(Mateo 3:13-17; 4:1-11)

Cuando Jesús tenía 30 años le dijo adiós a su madre y fue al río Jordán para ser bautizado por Juan el Bautista.

—¡Yo debería ser bautizado por ti! —exclamó Juan, sin entender.

—Haz esto para que sirva de ejemplo —contestó Jesús.

Juan el Bautista
sumergió a Jesús en las
aguas del Jordán.
Cuando Jesús se levantó, el
Espíritu Santo bajó sobre él
en forma de paloma, y Dios
dijo:
—Este es mi Hijo, a quien
amo mucho y me
da mucha alegría.
Escuchen lo que él
tiene para decir.

De allí Jesús fue al desierto para estar a solas con Dios. Satanás también lo acompañó. Él quería hacer que Jesús cayera en sus tentaciones, pero Jesús oró y pidió poder a Dios; Jesús venció a Satanás. Si nosotros oramos como Jesús oró, él vencerá a Satanás por nosotros.

Ya hacía cuarenta días que Jesús estaba sin comer. Satanás, disfrazado de ángel bueno, se aproximó a él y le dijo:

—Si eres el Hijo de Dios, transforma estas piedras en pan.

—Escrito está —dijo Jesús—. No sólo de pan vivirá el hombre, sino de toda palabra que sale de la boca de Dios.

Después de algún tiempo, Satanás volvió. Esta vez llevó a Jesús a la torre del Templo y le dijo:
—Lánzate de aquí abajo, porque escrito está: A sus ángeles dará orden con respecto a ti para que te guarden.
—También está escrito —contestó Jesús—: No tentarás al Señor tu Dios.

Finalmente, Satanás llevó a Jesús a la cima de un monte bien alto y le mostró todos los reinos del mundo y las cosas hermosas que había en ellos, y le dijo:
—Todo esto te daré si, arrodillado, me adoras.
Pero Jesús le dijo:
—Al Señor tu Dios adorarás, y sólo a él servirás.
Y Satanás se fue.

Jesús estaba exhausto. Casi desmayó. Entonces vinieron los ángeles y lo sirvieron. Ahora él estaba listo para empezar su obra de salvarte a ti y a mí.

Los amigos especiales de Jesús

(Juan 1:32-51; Hechos 1:13)

Cuando Jesús regresó del desierto, se dirigió al pueblo que oía a Juan el Bautista. Juan lo vio y anunció que Jesús era el Mesías, quien libraría al mundo del pecado. Andrés y otro Juan, que no era el Bautista, escucharon aquello y empezaron a seguir a Jesús.

Después de conversar con Jesús, Andrés se puso tan contento de encontrar al Mesías, que corrió a llamar a su hermano Simón. Al día siguiente, a orillas del lago, Jesús llamó a Felipe. Felipe dejó su trabajo y corrió a llamar a su amigo Natanael, que también siguió a Jesús.

En total, Jesús tuvo doce discípulos. Ellos fueron:

Pedro

Mateo

Juan

Jacobo, hijo de Alfeo

Jacobo, hijo de Zebedeo (Santiago)

Simón, el Zelote

Andrés

Judas Iscariote

Felipe

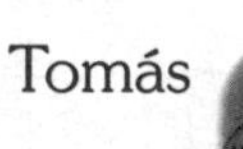

Tomás

Bartolomé

Judas (Lebeo Tadeo)

Una fiesta de casamiento

(Juan 2:1-12)

Un día invitaron a Jesús para que participara de una fiesta de casamiento. En aquel tiempo las fiestas de casamiento duraban varios días. Antes que la fiesta finalizara, se terminó el jugo de uva. Eso realmente era un problema muy serio. Pero María sabía que Jesús podía ayudar.

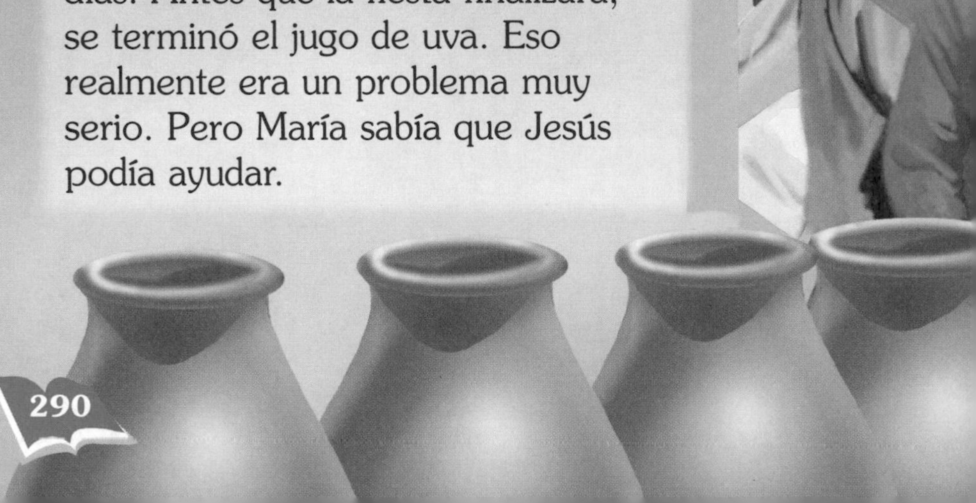

María llamó a Jesús y le dijo que se había terminado el jugo de uva. Jesús pidió que los ayudantes llenaran seis tinajas con agua.

—Ahora llévenlas al jefe de la fiesta —dijo Jesús.

Cuando sacaron el agua de la tinaja... ¡era jugo de uva! ¡El jugo más sabroso que alguna vez habían tomado!

Un templo sólo para Dios

(Juan 2:13-17)

Después de la fiesta de casamiento, Jesús fue a Jerusalén para participar de la fiesta de Pascua con sus discípulos. Aquella era una ocasión muy especial. Las personas hablaban mucho acerca de la esperada venida del Mesías pero no sabían que él ya estaba entre ellos, pues todavía no conocían a Jesús.

Cuando llegaron a Jerusalén, se dirigieron al Templo.

¡Qué tristeza sintió Jesús! Su casa parecía más un mercado de animales que un lugar de adoración.

—¡Compre aquí! —gritaba un vendedor.

—¡Aquí es más barato! —vociferaba el de al lado.

—¡La mejor oveja por el menor precio! —gritaba otro vendedor.

Al ver a los hombres que vendían y compraban, engañando y robando a los pobres, su rostro demostró su preocupación y tristeza. Poco a poco las personas se aquietaron y volvieron los ojos a Jesús.

—¡Saquen estas cosas de aquí! —ordenó Jesús con voz de trueno.

Los hombres que estaban en el Templo tuvieron miedo cuando Jesús derribó las mesas de los que cambiaban el dinero del pueblo por el del Templo. *Tlin-tlin-tlin* hicieron las monedas. *Mééé-mééé* balaron las ovejas. *Muu-muu* mugieron los bueyes. *Truu-tu, Truu-tu* arrullaron las palomas.

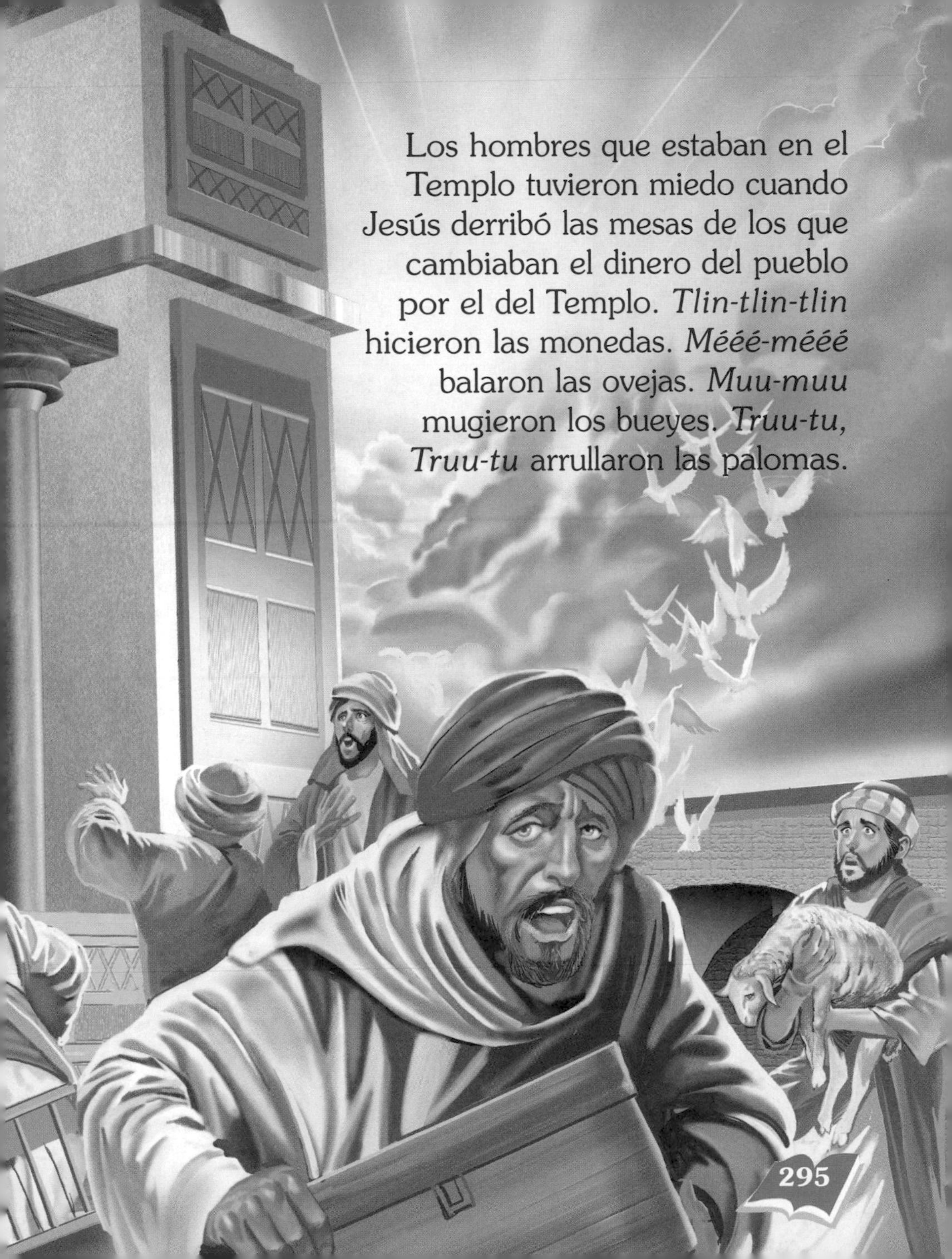

Los malos salieron corriendo para evitar la mirada de Jesús. No pasó mucho tiempo y el silencio llenó la Casa de Dios. Los pobres y enfermos se aproximaron, y pronto Jesús pudo curar a todos y hablarles acerca del gran amor de Dios. ¡Oh, si entendieran cuánto los amaba Jesús!

Primero se necesita la fe

(Juan 4:46-54)

Había un niño, hijo de un hombre muy importante, que estaba muy enfermo, tanto que los médicos ya no podían ayudarlo. Su padre escuchó hablar de que Jesús estaría en la ciudad y lo buscó rápidamente. Pero cuando vio que Jesús era un hombre muy sencillo, se desanimó.

—Jesús —dijo él, algo desconfiado—. Por favor, ven conmigo a mi casa. Mi hijo está muy enfermo.

Jesús sabía que el hombre sólo creería que él era el Salvador si curaba a su hijo.

—Si yo no curo al niño no creerás en mí, ¿verdad? —dijo Jesús.

El hombre sintió que la vida de su hijo dependía de su fe en Jesús. Él percibió que Jesús podía leer sus pensamientos.

—¡Señor, baja, antes que mi hijo muera! —él suplicó.

—Ve —dijo Jesús—. Tu hijo vive.

Y el padre creyó.

En el momento en que Jesús dijo: “Ve, tu hijo vive”, la fiebre del niño bajó y él empezó a mejorar. Su padre no vio cuando eso ocurrió, pero volvió a casa tranquilo; sabía que Jesús había sanado a su hijito querido. Jesús primero ayudó al padre a tener fe, y sólo después curó a su hijo.

El paralítico que caminó
(Juan 5:1-15)

En Jerusalén vivía un hombre que estaba enfermo hacía 38 años; no podía caminar. Él se quedaba sentado arriba de una camilla, cerca de un estanque que parecía una pileta. Se creía que, de vez en cuando, un ángel agitaba el agua y el enfermo que entraba primero en ella se sanaba.

El hombre de
nuestra historia estaba
sentado en su camilla, en el
lugar de siempre, un día de sábado.
Sin ser notado, Jesús se aproximó.
—¿Quieres sanarte? —le preguntó.
—Sí, quiero —contestó el hombre,
desanimado.

El hombre enfermo pensó que Jesús estaba hablando del agua. A él le gustaría entrar en el agua cuando se agitara, pero no tenía amigos que lo llevaran hacia ella. Entonces, con autoridad y amor en la voz, Jesús ordenó:

—¡Levántate, toma tu cama y anda!

Y el hombre, feliz, anduvo.

El niño que compartió su merienda con Jesús
(Juan 6:1-15)

Por causa de sus milagros, una gran multitud seguía a Jesús. Al ver a toda esa gente, Jesús le preguntó a Felipe:
—¿Dónde vamos a comprar comida para toda esta gente?

Y Felipe contestó:
—¡Necesitaríamos del salario de un mes para darle comida a todos!

Jesús solamente estaba probando la fe de Felipe.
Luego Andrés vino y dijo:
—Ahí hay un niño, con cinco panes y dos pececitos.
Y agregó:
—Esto no es nada para tanta gente.
Pero Jesús dijo:
—Digan a todos que se sienten en el piso.

El niño entregó su merienda a Jesús. Jesús oró, y distribuyó los panes y los peces entre la multitud. Todos comieron hasta que estuvieron satisfechos y todavía sobró mucha comida. Aquel pueblo quería un rey así, que les diera bastante comida. Pero Jesús quería ser el Rey de sus corazones.

Jesús anda sobre el mar

(Mateo 14:22-33)

Luego, Jesús ordenó que los discípulos entraran en el barco y navegaran hacia el otro lado del mar, hacia una ciudad llamada Betsaida. Mientras tanto, él despediría a la multitud y subiría al monte para conversar con Dios.

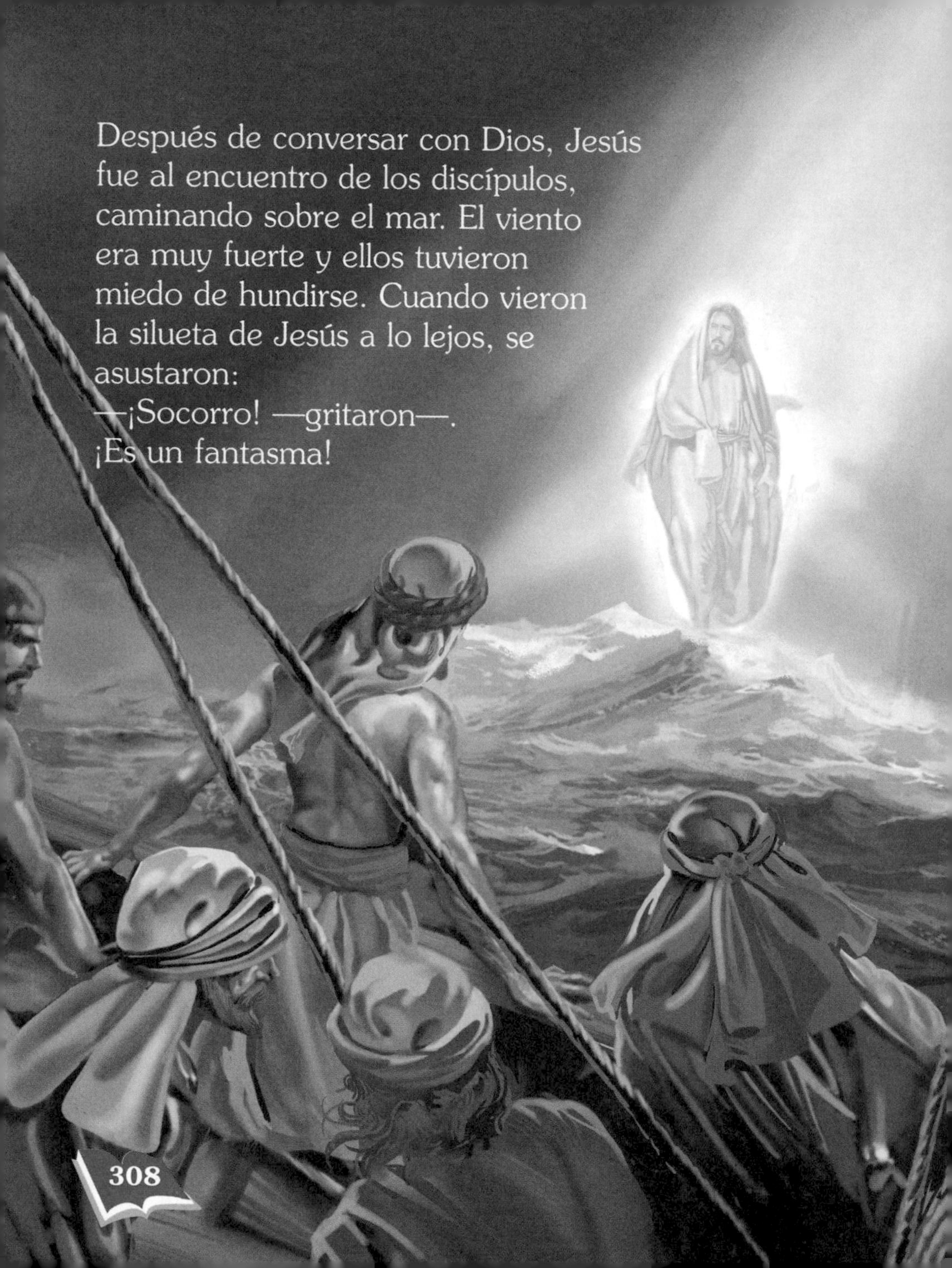

Después de conversar con Dios, Jesús fue al encuentro de los discípulos, caminando sobre el mar. El viento era muy fuerte y ellos tuvieron miedo de hundirse. Cuando vieron la silueta de Jesús a lo lejos, se asustaron:

—¡Socorro! —gritaron—. ¡Es un fantasma!

Los fantasmas no existen. Viendo su miedo, Jesús gritó de lejos, en medio de las olas del mar agitado:
—¡Coraje, soy yo! ¡No tengan miedo!
Entonces Pedro dijo:
—¡Si realmente eres el Señor, mándame andar sobre el mar hasta donde estás!

—¡Ven! —contestó Jesús.
Y Pedro fue. Él puso primero un pie, después otro. Cuando vio que estaba firme, soltó el peso del cuerpo y empezó a caminar, siempre mirando a Jesús. Pero una ola escondió a Jesús de Pedro y él sintió mucho miedo.

Pedro empezó a hundirse.
Él gritó con toda la fuerza de los pulmones:
—Señor, ¡sálvame!
Jesús tomó la mano de Pedro y lo sacó fuera del agua.
Pasado el susto, Jesús le dijo a Pedro:
—¡Qué pequeña es tu fe! ¿Por qué dudaste?

Agua, luz y pan

(Juan 6:35; 7:37; 8:12)

Jesús quería mucho que las personas entendieran cuánto él las amaba.
Por eso usaba muchas ilustraciones para explicar lo que podía hacer para salvarlas.
Una vez se comparó con el agua. Él dijo:
—Si alguien tiene sed, venga a mí y beba. Aprenderá a amarme y a amar a su prójimo.

Otra vez, Jesús se comparó con la luz. Él dijo:

—Yo soy la luz del mundo; quien me sigue tendrá la luz de la vida y nunca andará en la oscuridad.

Y en otra ocasión también dijo:
—Yo soy el pan de la vida. Quien viene a mí nunca más tendrá hambre.

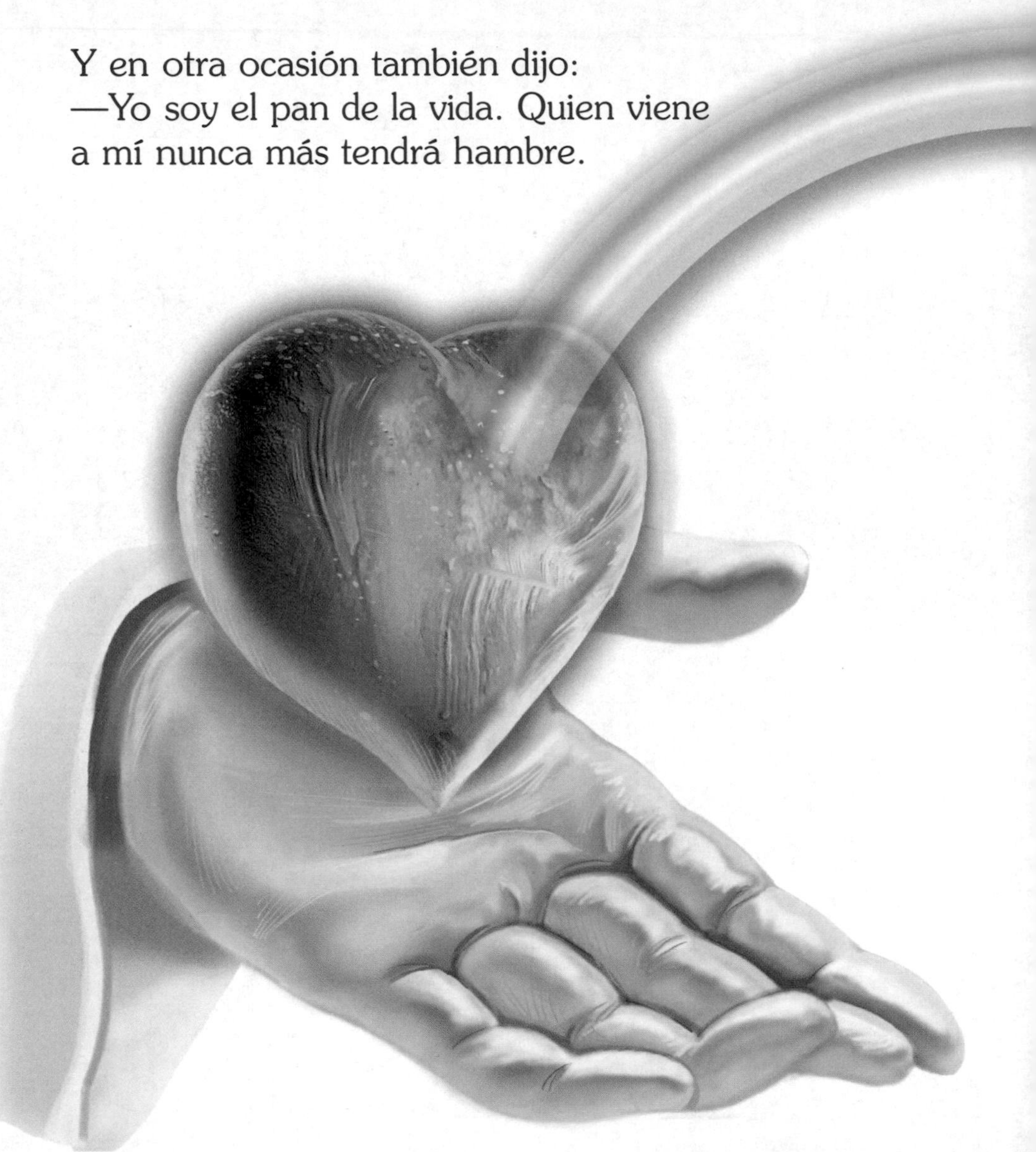

Descanso para el cansado
(Mateo 11:28)

Jesús vino a ayudar a las personas que están cansadas de sufrir. Por eso dijo:

—Vengan a mí todos ustedes, los que están cansados de cargar sus pesadas cargas, y yo los haré descansar.

La parábola del sembrador
(Mateo 13:3-23)

Jesús contó muchos relatos para que las personas entendieran el gran amor de Dios. Cierta vez contó el relato de un hombre que trabajaba en el campo sembrando la tierra. Es lo que conocemos como la *Parábola del sembrador.*

Un sembrador fue al campo a sembrar. Una parte de las semillas cayó en el camino. Entonces vinieron los pajaritos y las comieron.

Otra parte cayó entre las piedras. Las semillas luego germinaron, pero no duraron mucho, porque no tenían raíz profunda. Entonces el sol las quemó.

Otra parte cayó entre las espinas. La tierra allí era buena, pero las espinas crecieron más que las plantitas, y éstas pronto se sofocaron.

La última parte de las semillas que estaba en la bolsa del sembrador cayó en tierra buena. Vinieron la lluvia, el sol y el viento y la plantita creció, se puso fuerte y dio mucho fruto. El sembrador se alegró con esta parte de su trabajo.

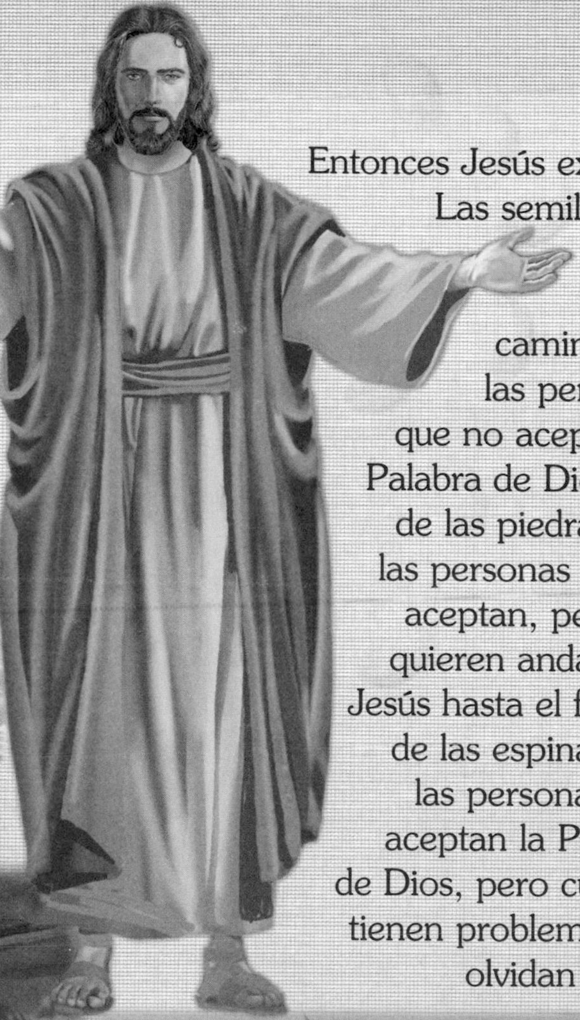

Entonces Jesús explicó: Las semillas del camino son las personas que no aceptan la Palabra de Dios; las de las piedras son las personas que la aceptan, pero no quieren andar con Jesús hasta el fin; las de las espinas son las personas que aceptan la Palabra de Dios, pero cuando tienen problemas, se olvidan de él.

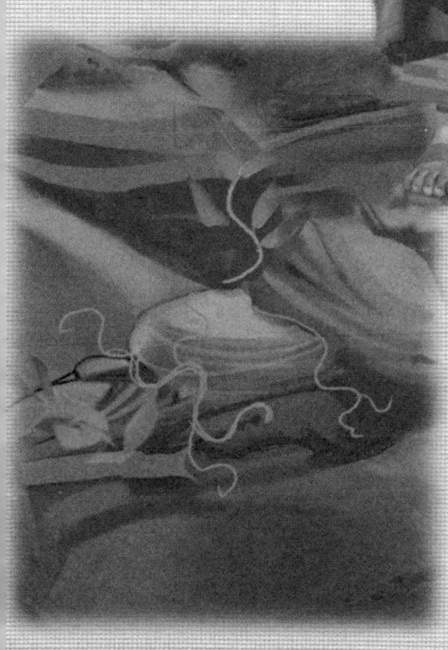

La tierra buena
representa a las
personas que escuchan y
comprenden la Palabra de Dios y
hacen cosas buenas por amor a Jesús.

El tesoro escondido

(Mateo 13:44)

Jesús también contó el relato de otro hombre, quien encontró un tesoro. Mientras trabajaba en el campo, su arado golpeó algo.

¡Él dejó el arado, cavó un poco y vio que había encontrado un gran tesoro! Volvió a enterrarlo y salió para vender todo lo que tenía.

Con el dinero de la venta, el hombre compró ese campo y se quedó con el tesoro, que lo transformó en un hombre rico.

La Palabra de Dios es nuestro mayor tesoro. ¡Nada es más valioso! Compensa dar todo para hacerla parte de nuestra vida.

Un parral
(Juan 15:1-7)

Un día Jesús dijo que él es el tronco de un parral y que nosotros somos los pámpanos. Si se arranca un pámpano del tronco, se muere. Así, para que tengamos vida eterna, necesitamos siempre estar unidos a Jesús. Y estando unidos a Jesús daremos frutos, o sea, haremos muchas cosas buenas.

La gran fiesta

(Lucas 14:15-24)

Jesús contó que una vez un hombre decidió dar una gran fiesta e invitó a mucha gente.

Pero, como los invitados demoraban demasiado, mandó que un empleado saliera a llamarlos.

—Miren, mi patrón dijo que la fiesta está lista. Sólo faltan ustedes.

Pero uno dijo que no podía ir porque había comprado un terreno y necesitaba verlo. Otro dijo que había comprado algunos bueyes y quería probarlos. Otro, que recién se había casado y no podría ir.

Cuando el empleado contó lo que ocurría, el patrón se enojó mucho.

—Ve por las calles y los callejones de la ciudad y trae a los pobres, los lisiados, los ciegos y los cojos —ordenó el patrón.

El empleado fue e hizo lo que le habían mandado. Pero cuando regresó, vio que todavía había lugar en la fiesta.

El empleado le avisó al
patrón lo que pasaba, y él
dijo:
—¡Entonces ve a las rutas y a
los caminos y fuerza a los que
encuentres allí a que vengan a la fiesta! ¡Pues no quiero
que ninguno de los primeros invitados pruebe mi cena!

Jesús contó ese relato porque los judíos pensaban que eran mejores que los que no eran judíos, y porque no querían aceptarlo como su Salvador. Con eso, Jesús quería mostrarles que, si ellos no lo aceptaban, los que no eran judíos lo aceptarían y así recibirían la salvación.

Jóvenes prudentes y jóvenes tontas

(Mateo 25:1-13)

Jesús comparó el Cielo a diez jóvenes. Ellas eran las damas de honor de un casamiento. Cada una de ellas debía tener una lámpara encendida para entrar en la fiesta. Todas tenían su propia lámpara, y el combustible era aceite de oliva.

Cada una encendió su lámpara
y todas se arreglaron para esperar
la llegada del novio. La expectativa era
muy grande, pero el novio empezó a demorar
demasiado. Las diez sintieron mucho sueño y empezaron
a dormir. De repente, todas se despertaron con el grito:

—¡Allí viene el novio!
Con el sueño, quedaron algo confundidas. Entonces notaron que sus lámparas estaban apagándose. Cinco de ellas tomaron sus botellitas adicionales y llenaron nuevamente las lámparas para que no se apagaran. Las otras cinco se olvidaron de llevar aceite extra.

—Dénnos un poco de su aceite —ellas pidieron a las jóvenes que llevaron aceite extra.
Pero ellas no podían prestarles; caso contrario, también se quedarían sin aceite. Resultado: las jóvenes sin el aceite extra tuvieron que quedarse fuera de la fiesta. Cuando Jesús regrese, muchas personas no estarán listas para recibirlo y entrar a la gran fiesta en el Cielo. ¿Te estás preparando?

La oveja perdida

(Lucas 15:3-7)

Jesús también contó el relato de un hombre que tenía cien ovejas. Cuando fue a ver si todas estaban allí, el hombre se dio cuenta de que faltaba una. Entonces, dejó a las noventa y nueve en el desierto, y salió en busca de la que había desaparecido.

Cuando la encontró, la puso sobre los hombros, como hacían los pastores, y regresó feliz a la casa. Una vez que llegó, llamó a los amigos y vecinos e hizo una fiesta para conmemorar. Jesús quería enseñar que todo el Cielo se pone feliz cuando alguien que se alejó de Dios, vuelve a él.

El hijo que volvió a casa

(Lucas 15:11-32)

Jesús también contó acerca de un hombre que tenía dos hijos. El más joven se cansó de trabajar para el padre y pidió su parte de la herencia para poder irse de la casa

y empezar una vida nueva lejos de los ojos de él. A él no le gustaba que el padre controlara su vida.

Triste, el padre le dio su parte de la herencia y él se fue muy lejos. En un país lejano, él gastó todo. No tenía más dinero, ni para comprar comida. Pero consiguió un trabajo: ¡cuidador de cerdos! ¡Qué trabajo de mal olor! ¡Y como no tenía comida, comía la comida de los cerdos! ¡Qué horror!

Un día, mientras cuidaba de los cerdos, el joven se acordó de su casa. ¡Qué lindo era allá! Todo limpio, con rico olor, buena comida... ¡Qué ganas de volver! "¿Será que mi padre me recibiría? ¡Aunque sea sólo como uno de sus empleados!", él pensó. Y, entonces, regresó a la casa.

Al aproximarse, vio que su padre ya lo esperaba. ¡Qué nostalgia del hijo querido! El padre corrió a su encuentro y lo abrazó, llorando de emoción. Puso su capa alrededor del muchacho y su anillo en el dedo de su hijo. Después mandó hacer una fiesta para conmemorar el regreso del hijo amado.

El viento y el mar obedecen a Jesús

(Marcos 4:35-41)

Jesús
estaba
cansado.
Él había pasado el
día predicando
y sanando a las
personas. Era hora
de descansar un poco.
—Vayamos al otro lado
del mar —dijo Jesús a
los discípulos.
Entonces entraron en un barco.
Jesús se acostó en un rincón y luego
se durmió.

De repente surgió una terrible tempestad. Las olas hacían que el barco pareciera una cáscara de nuez en una bañadera. Todos tenían mucho miedo. Todos, menos Jesús. Él estaba durmiendo con la cabeza en una almohada, como si nada ocurriera.

Las olas eran muy altas y se quebraban dentro del barco, llenándolo de agua. *Chuá, chuá, chuá* hacían las olas con mucha fuerza. El barco casi se hundía. Los discípulos se acordaron de Jesús.

—¡Despierta, Jesús! —ellos exclamaron.
—¡Moriremos ahogados!

Jesús se levantó y ordenó al viento y al mar:
—¡Aquiétense!
Y todo se calmó.
Entonces, Jesús preguntó:
—¿Por qué son tan miedosos? ¿Todavía no tienen fe?

—¡Hasta el viento y el mar le obedecen! —se sorprendieron los discípulos.

Zaqueo

(Lucas 19:1-10)

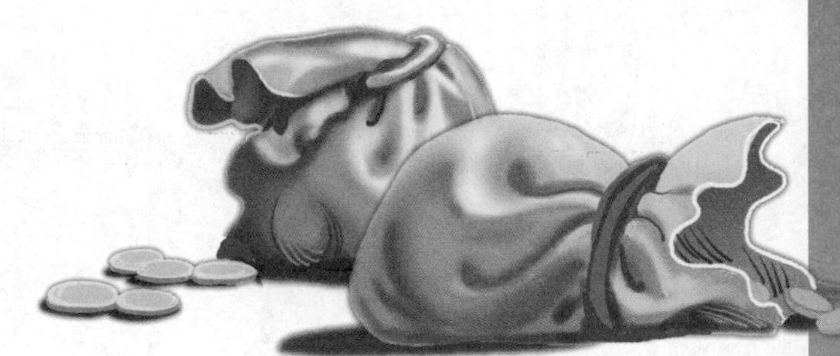

Zaqueo era un cobrador de impuestos que vivía en Jericó. El pueblo de su ciudad no lo quería. ¿Sabes por qué? Porque él trabajaba para el gobierno romano. Su pueblo lo consideraba un traidor. Además, Zaqueo cobraba más impuesto de lo debido, y eso dejaba a la gente con rabia.

Un día, Zaqueo supo que Jesús debía pasar por Jericó. Él corrió con la multitud para ver a Jesús. Pero las personas eran más altas que él y, por más que les pidiera permiso, nadie le daba lugar. Entonces Zaqueo miró hacia atrás y vio un árbol al lado del camino.

¡Ajá! Zaqueo corrió y, sin preocuparse por su hermosa ropa, subió al árbol, hecho un niño, porque quería mucho ver a Jesús. Él sabía que Jesús era bueno y creía que él era el Salvador.

Cuando Jesús pasó por
debajo de aquel árbol,
miró hacia arriba y dijo:
—¡Zaqueo, baja deprisa,
porque hoy dormiré en tu casa!
¡Zaqueo bajó del árbol rápidamente y recibió a Jesús
en su casa con mucha alegría!

Allí, él le prometió una cosa a Jesús:

—Señor —dijo él—, daré la mitad de mis bienes a los pobres. Y, si le robé a alguien, le devolveré cuatro veces más.

Y Jesús dijo:

—¡Hoy la salvación entró en esta casa!

El rey montado en un pollino

(Marcos 11:1-11)

—¿Qué hacen con este pollino? —preguntaron algunas personas cuando vieron a dos hombres desprendiendo al animalito.

—El Señor lo necesita —contestaron los discípulos de Jesús siguiendo sus instrucciones. Con esta respuesta, los hombres dejaron que lo llevaran.

Jesús montó el pollino y se dirigió a Jerusalén.

—¡Viva Jesús! ¡Dios bendiga el Hijo de David! —cantaban los niños y los adultos.

Ellos colocaban sus capas en el piso para que el pollino pasara por encima de ellas, y agitaban hojas de palmeras.

Cuando estaban en lo alto de un monte del cual se veía la linda ciudad de Jerusalén, Jesús se detuvo. Todos estaban felices mirando la ciudad. Pero Jesús no estaba feliz. Jesús lloraba. Él estaba triste porque sabía que el pueblo de aquella ciudad sufriría por rechazar al Salvador.

La última Pascua

(Lucas 22:7-23)

—Preparen la cena de la Pascua —Jesús le pidió a los discípulos.

—¿Dónde quieres que la preparemos? —quisieron saber.

—Cuando entren en la ciudad, verán a un hombre cargando un cántaro con agua. Síganlo hasta la casa en que él entre. El dueño de la casa les dirá dónde será.

Ellos encontraron al hombre y, en el salón de la casa en que él entró, prepararon la cena. Cuando todos ya estaban allí, esperaron a que un siervo les lavara los pies. Esa era la costumbre de la época. Pero el siervo no apareció. Entonces Jesús tomó una toalla, se sacó la capa y lavó los pies de los discípulos.

—Tuve muchas ganas de comer esta cena de la Pascua con ustedes antes de mi sufrimiento, pues sólo la comeremos juntos otra vez cuando yo regrese a buscarlos —explicó Jesús.

Luego tomó la jarra de jugo, oró y dijo:

—Tomen, repartan entre ustedes, para que siempre recuerden que yo derramé mi sangre por ustedes.

Después tomó el pan, oró y, al repartirlo, dijo:
—El pan es para que se acuerden de que ofrecí mi cuerpo en favor de ustedes.

El Getsemaní

(Lucas 22:39-46)

Cuando terminaron la cena, Jesús y los discípulos salieron al Monte de los Olivos. Después de pedirle a los discípulos que también oraran, Jesús se alejó para orar solo.

—Padre, si quieres, pasa de mí esta copa. Está demasiado difícil. Pero no se haga mi voluntad, sino la tuya.

Jesús hizo esta oración tres veces, y tres veces él puso su voluntad en las manos de Dios. Su angustia era tan grande que transpiró gotas de sangre. Y los discípulos, en vez de orar por él, durmieron. Jesús venció esa lucha solo. Por fin, un ángel bajó del Cielo para consolarlo.

—¿Por qué duermen? Levántense y oren, para que no caigan en tentación —aconsejó Jesús.

Pero mientras él hablaba, Judas apareció acompañado de varias personas malas y besó a Jesús.

—Judas —dijo Jesús—, ¿traicionas al Hijo del hombre con un beso?

Judas llevó a aquella gente allí para atrapar a Jesús. Él vendió a Jesús por treinta monedas de plata, el precio de un esclavo. Cuando Pedro vio que la gente quería llevarse a Jesús, cortó la oreja del siervo del sumo sacerdote con una espada, pero Jesús repuso la oreja en el lugar.

Y el gallo cantó
(Lucas 22:54-62)

Entonces ataron a Jesús y lo llevaron a la casa del sumo sacerdote. Pedro lo seguía de lejos.

En el patio, algunas personas encendieron fuego y se sentaron alrededor de él. Pedro también se sentó entre ellos. Tres personas reconocieron a Pedro como uno de los discípulos de Jesús. Pero, en las tres veces, Pedro negó que era su discípulo.

Y cuando el gallo cantó, y los ojos de Jesús encontraron los de Pedro, él se acordó de que Jesús le había dicho que lo negaría tres veces. Pedro salió de allí profundamente arrepentido, llorando mucho, mucho.

Jesús sufrió por mí y por ti

(Lucas 22:63-71; 23)

Los soldados se burlaron de Jesús y, tapándole los ojos, lo golpeaban queriendo que él descubriera quién lo había golpeado. Lo humillaron delante de los líderes religiosos y, después de confirmar que era el Hijo de Dios, lo mandaron a Pilato, para que lo juzgara según la ley romana.

—¿Realmente eres el rey de los judíos? —preguntó Pilato.
—Tú lo dices —contestó Jesús.
Eso quería decir: "Sí".
Pilato pensaba que Jesús era inocente, y por eso dijo:
—No veo en este Hombre crimen alguno.

Para librarse de la responsabilidad, Pilato envió a Jesús a Herodes. Herodes se alegró de ver a Jesús. Él estaba curioso. Quería ver algunos de sus famosos milagros. Pero Jesús estuvo todo el tiempo callado. Herodes se burló mucho de Jesús y, por fin, nuevamente lo envió a Pilato.

Era costumbre soltar a un prisionero en el tiempo de la Pascua. Pilato quería soltar a Jesús. Él dijo:
—Mandaré azotar a Jesús y después lo soltaré.
Pero el pueblo dijo:
—No queremos a Jesús, queremos a Barrabás.
Barrabás era un criminal.

El pueblo insistió tanto, que Pilato no tuvo coraje de contrariarlo. Soltó a Barrabás y mandó crucificar a Jesús. En camino al Calvario, Jesús no aguantó el peso de la cruz. Entonces obligaron a un hombre llamado Simón a llevarla. Una multitud acompañaba a Jesús, llorando y golpeándose el pecho.

Dos hombres más fueron condenados con Jesús. Eran ladrones. Jesús fue crucificado entre ellos. Uno de ellos dijo:
—¿No eres el Cristo? ¡Entonces suéltanos y suéltate!
El otro dijo:
—Cállate. ¡Respeta a este Hombre inocente!

Y le dijo a Jesús:
—Jesús, acuérdate de mí cuando entres en tu reino.

Jesús contestó:
—Una cosa te digo: Estarás conmigo en el paraíso.

Era casi medio
día. De repente,
el sol dejó de brillar,
y se puso oscuro hasta
cerca de las tres horas de la
tarde. El velo que separaba el
lugar Santo del Santísimo, en
el Templo, se rasgó de arriba
abajo cuando Jesús gritó:
—Padre, en tus manos
entrego mi espíritu.
Y murió.

José de Arimatea tenía un túmulo vacío. Él le pidió a Pilato el cuerpo de Jesús. José era respetado y esperaba la venida del Salvador. Él y los discípulos de Jesús lo sacaron de la cruz y lo pusieron en el túmulo vacío de José. Las mujeres que seguían a Jesús vieron cuando lo pusieron allí.

Él no está aquí

(Lucas 24:1-12)

Era viernes por la tarde cuando los discípulos dejaron a Jesús en el túmulo. Durante el sábado descansaron, según el mandamiento. El domingo, muy temprano, las mujeres fueron al túmulo, llevando los perfumes que prepararon el viernes. Cuando llegaron, vieron el túmulo abierto y vacío.

Entonces, un ángel de luz apareció y dijo:

—¿Por qué buscan entre los muertos a quien está vivo? Él no está aquí, pero resucitó.

—¡Es verdad! ¡Jesús dijo que resucitaría! —exclamaron ellas.

Jesús murió para que tú y yo pudiéramos vivir. Si aceptamos el gran sacrificio que él hizo por nosotros en la cruz, él nos dará la vida eterna. Acéptalo ahora como tu Salvador.

La pesca milagrosa

(Juan 21:3-9)

Después de su resurrección, Jesús apareció a sus discípulos en varias ocasiones. En una de esas ellos estaban pescando. Habían pasado toda la noche sin conseguir un único pececito. Cuando amaneció, Jesús estaba en la playa y preguntó:

—Hijitos, ¿tienen algo para comer?

Ellos no reconocieron a Jesús y, desanimados, contestaron solamente:
—No.
Entonces Jesús ordenó:
—Tiren la red a la derecha del barco y encontrarán peces.
Ellos obedecieron y, cuando sacaron la red, ¡había tantos peces que la red casi se rompió!

Cuando Juan vio aquello, percibió que el Extraño en la playa era Jesús. Pedro, cuando supo que era él, saltó al agua y nadó para llegar hasta él y adorarlo. Los demás remaron hasta la playa. ¡Cuando llegaron, Jesús ya había preparado un rico desayuno con panes y peces!

Regresando al cielo

(Hechos 1:6-11)

Jesús les dio muchas orientaciones a los discípulos. Finalmente, un día, después de decir que les enviaría el Espíritu Santo, él subió al Cielo. Y mientras Jesús subía, dos ángeles se aproximaron y les dijeron:

—Hombres de Galilea, ese Jesús volverá de la misma manera como lo vieron subir.

El regalo del Espíritu Santo

(Hechos 2)

Después que Jesús subió al Cielo, todos los discípulos se reunieron en el mismo salón donde habían celebrado con él la Pascua. Siguiendo la orientación de Jesús, quedaron allí, orando, pidiendo el Espíritu Santo.

En el día del Pentecostés, cuando todos estaban reunidos en el mismo lugar, de repente vino del cielo un sonido como de un fuerte viento, el cual llenó toda la casa. Y aparecieron, distribuidas entre ellos, lenguas como de fuego, y se posó una sobre cada uno de ellos.

Todos se llenaron del Espíritu Santo y pasaron a hablar en otras lenguas, conforme el Espíritu Santo les concedía que hablaran. Jerusalén estaba llena de judíos que venían de todas partes del mundo. Y cada uno los oía hablar en el idioma del país en que vivía.

Las personas se sorprendieron con aquella maravilla, pero algunas criticaron a los discípulos de Jesús diciendo que estaban borrachos. Entonces Pedro hizo un poderoso discurso, después del cual más de tres mil personas se bautizaron en el nombre de Jesús y también recibieron el Espíritu Santo.

Una limosna diferente
(Hechos 3:1-10)

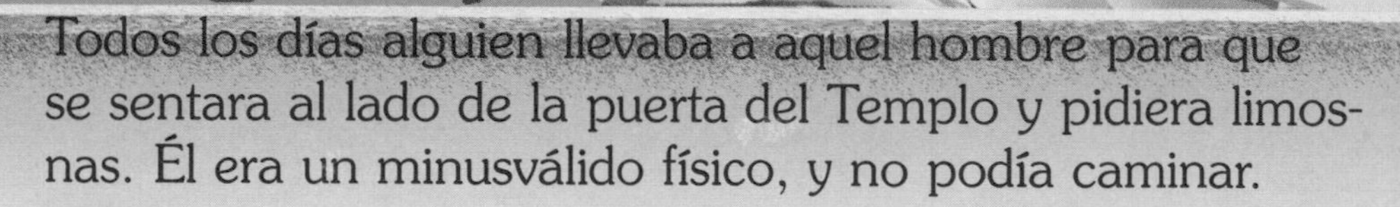

Todos los días alguien llevaba a aquel hombre para que se sentara al lado de la puerta del Templo y pidiera limosnas. Él era un minusválido físico, y no podía caminar.

Pedro y Juan se acercaron al Templo, a las tres de la tarde, para orar, como era su costumbre. Cuando pasaron por la puerta, el deficiente físico extendió la mano y les pidió una limosna. Pedro lo miró y dijo:

—¡Míranos!

Y el hombre miró, esperando recibir algo.

—No tengo plata ni oro, pero lo que tengo te doy: ¡en el nombre de Jesucristo, el Nazareno, camina! —exclamó Pedro, extendiéndole la mano.

Cuando escuchó el nombre de Jesús, el hombre aferró la mano de Pedro y de un salto se puso de pie. Feliz, empezó a caminar y correr de un lado al otro.

Los líderes del Templo no se alegraron con la curación de aquel hombre, porque nuevamente el nombre de Jesús molestaba sus planes. Por causa de eso, pusieron presos a Pedro y a Juan. Pero al día siguiente los soltaron, con la condición de que nunca más hablaran en el nombre de Jesús.

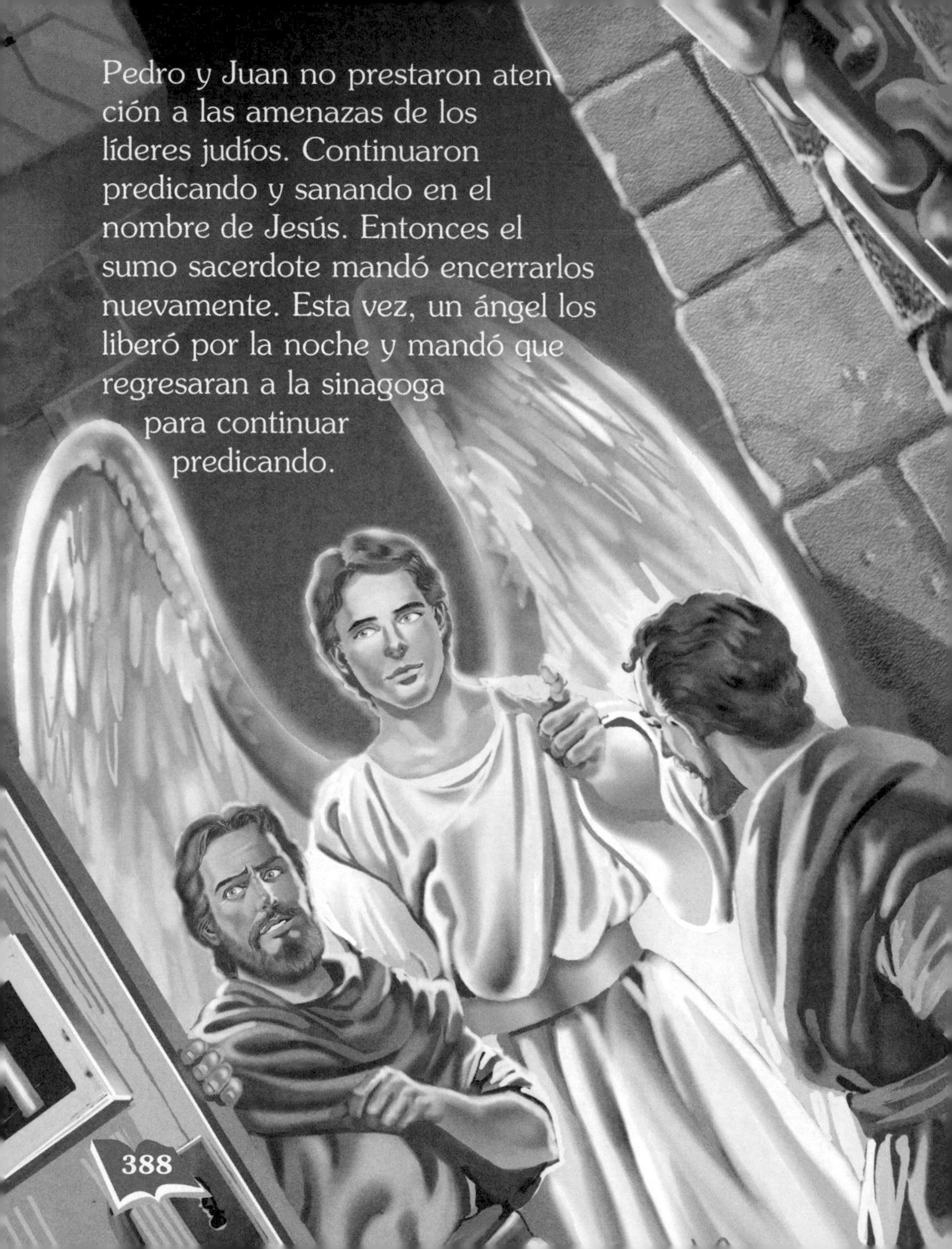

Pedro y Juan no prestaron atención a las amenazas de los líderes judíos. Continuaron predicando y sanando en el nombre de Jesús. Entonces el sumo sacerdote mandó encerrarlos nuevamente. Esta vez, un ángel los liberó por la noche y mandó que regresaran a la sinagoga para continuar predicando.

Esteban, el primer mártir

(Hechos 6:8-15; 7)

Esteban también había recibido el Espíritu Santo. Él hacía muchos milagros en el nombre de Jesús. Un día él vio el Cielo abierto y a Jesús sentado a la derecha de Dios. Los líderes del Templo, irritados, llevaron a Esteban fuera de la ciudad y lo apedrearon. Él murió pidiendo que Dios perdonara a los homicidas.

De Saulo a Pablo

(Hechos 8:1; 9:1-19)

Cuando apedrearon a Esteban, había un hombre llamado Saulo que sostenía las capas de los que tiraban las piedras. Saulo era un hombre muy importante en la iglesia. Él pensaba que Esteban debía morir; Saulo pensaba que todos los cristianos debían morir.

Un día, Saulo habló con el jefe de la sinagoga y le pidió cartas para las sinagogas de Damasco: quería tener el permiso de encarcelar a todos los cristianos que encontrara en esa ciudad.

Cuando Saulo ya casi llegaba a Damasco, una luz más fuerte que la del sol al mediodía brilló a su alrededor y él cayó a tierra. Después, una voz le dijo:
—Saulo, Saulo, ¿por qué me persigues?
Saulo, con miedo, preguntó:
—Señor, ¿quién eres?

—Yo soy Jesús, a quien persigues —contestó la voz—. Pero ahora levántate, entra en la ciudad y allí te dirán lo que debes hacer.

Cuando Saulo se levantó y abrió los ojos, no pudo ver por causa del brillo de la luz. Sus compañeros de viaje lo llevaron hasta Damasco.

Ananías era un
discípulo que vivía
en Damasco. Jesús le dijo:
—Ananías, ve a la casa de Judas, que está en la calle Derecha, y pregunta por Saulo de Tarso. Él está orando y yo le mostré que estás yendo hacia él para sanarlo de la ceguera.

Cuando llegó, Ananías se aproximó a Saulo y le dijo:
—Hermano Saulo, el mismo Jesús, que te apareció en el camino, me envió aquí para que vuelvas a ver y te llenes del Espíritu Santo.

En ese instante cayeron unas escamas de los ojos de Saulo y él volvió a ver.

Saulo se transformó en el mayor predicador que el mundo conoció. Fue un hombre valiente y sincero que entregó su corazón a Jesús y dedicó su vida a él. Saulo hasta cambió de nombre. Pasó a llamarse Pablo. Lo llamaron el Apóstol de los Gentiles, porque le hablaba de Jesús a los no judíos.

Varias veces llevaron a Pablo delante de reyes y gobernadores. Una vez lo llevaron delante del rey Agripa y su hermana, Berenice. Él habló con tanto entusiasmo sobre su conversión, su llamado y su trabajo, que Agripa admitió que casi se convirtió al cristianismo.

Pablo escribió la mayor parte de las cartas del Nuevo Testamento. Nota qué mensaje lindo dejó en Romanos 8:28: "Sabemos que a los que aman a Dios, todas las cosas les ayudan a bien, esto es, a los que conforme a su propósito son llamados".
Y ésta de I Corintios 13:1 y 8: "Si yo hablase lenguas humanas y angélicas, y no tengo amor, vengo a ser como metal que resuena, o címbalo que retiñe... El amor nunca deja de ser".

Y ésta de I Timoteo 4:12: "Ninguno tenga en poco tu juventud, sino sé ejemplo de los creyentes en palabra, conducta, amor, espíritu, fe y pureza".

Dorcas, la amiga de los necesitados

(Hechos 9:36-43)

En la ciudad de Jope vivía una señora que se llamaba Tabita. El significado de su nombre es "Gacela". La gacela es un animalito manso y muy activo, que le gusta correr.

Tabita, que también era conocida por Dorcas, era muy activa, y corría de un lado a otro ayudando a las personas.

Dorcas pasaba todo el día visitando a los enfermos, cosiendo para los pobres, y repartiendo entre ellos alimentos y abrigo.

Un día, Dorcas se enfermó mucho. Tanto que los médicos no pudieron sanarla, y ella murió. ¡Qué tristeza para aquellos a quienes ella ayudaba!

Sus amigos supieron que Pedro estaba cerca de allí, en una ciudad llamada Lida, y lo llamaron. Pedro fue inmediatamente. Cuando llegó, todas las viudas que Dorcas había ayudado lo cercaron, llorando y mostrándole las ropas que ella había hecho mientras estaba con ellas.

Pedro pidió que todos salieran de la habitación donde la habían puesto y, solo, se puso de rodillas para orar. Luego se levantó, miró a Dorcas y le dijo:

—Tabita, levántate.

Ella abrió los ojos y, viendo a Pedro, se sentó.

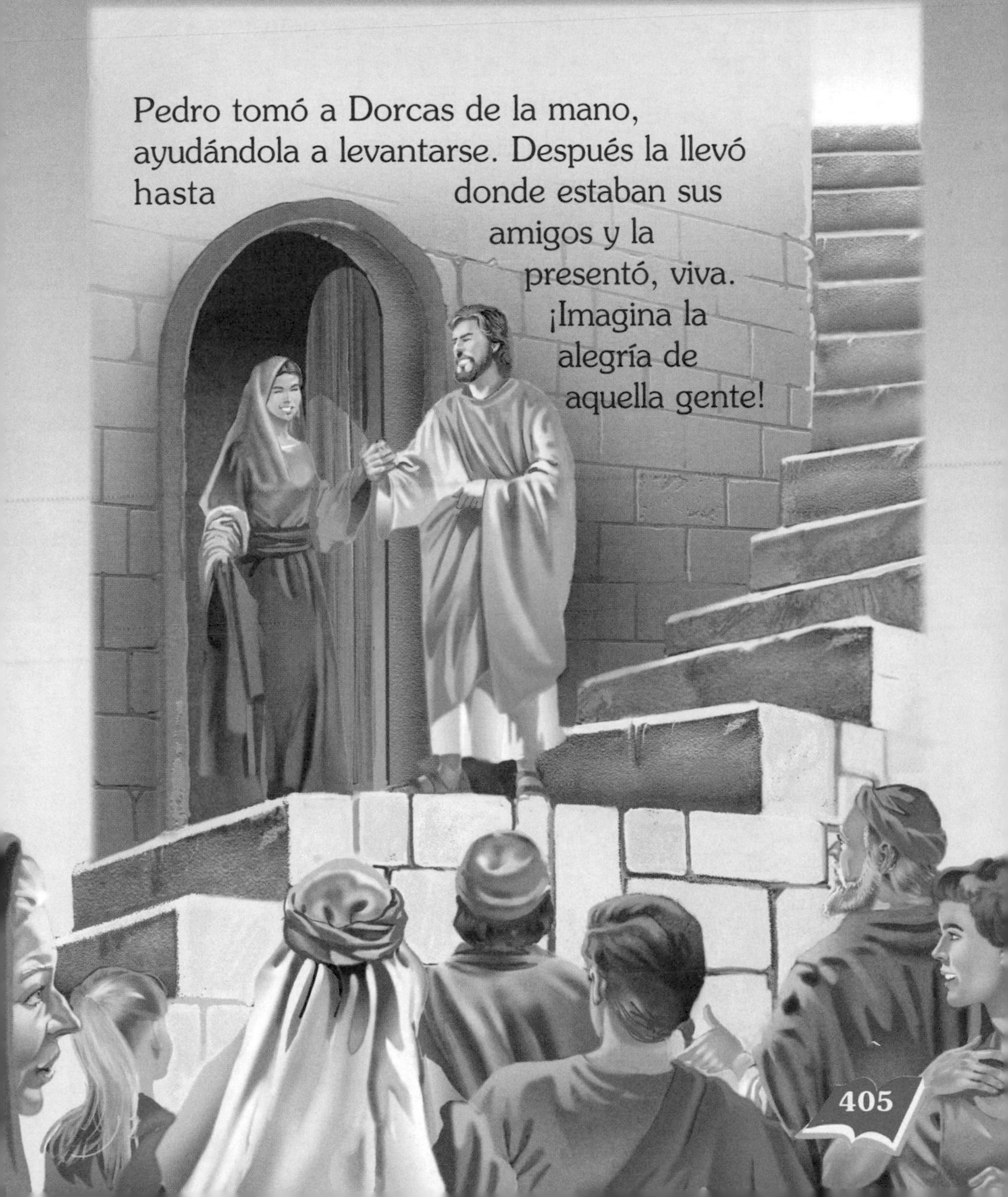

Pedro tomó a Dorcas de la mano, ayudándola a levantarse. Después la llevó hasta donde estaban sus amigos y la presentó, viva. ¡Imagina la alegría de aquella gente!

Toda la ciudad de Jope supo de ese acontecimiento. Muchas personas aceptaron a Jesús por causa de ese hecho. Cuando Jesús regrese, él también resucitará aquellos que, como Dorcas, amaron a Dios y ayudaron a las personas.

Cosas que Jesús reveló en el libro de Apocalipsis

(Apocalipsis 1)

Juan era joven cuando Jesús lo llamó para ser su discípulo. Por causa de su amor a Jesús, a Juan, cuando ya era viejito, lo llevaron a una isla distante llamada Patmos. Allí Jesús le reveló a Juan los últimos acontecimientos, para que tú y yo nos preparemos para el pronto regreso de Cristo.

En Apocalipsis 1:3 Juan dice: "Feliz quien lee este libro, y felices aquellos que oyen las palabras de este mensaje profético y obedecen lo que está escrito en este libro. Pues está cerca el tiempo en que todo eso ocurrirá".

El primer mensaje de Apocalipsis, y el tema más importante de este libro, es: “He aquí que viene con las nubes, y todo ojo le verá” (Apocalipsis 1:7).

Jesús mandó que Juan escribiera en un libro todo lo que le mostraría, y que enviara el libro a las iglesias de Éfeso, Esmirna, Pérgamo, Tiatira, Sardis, Filadelfia y Laodicea. Cada iglesia simboliza una época de la historia del pueblo de Dios, y para cada una Jesús tiene un mensaje especial.

Juan intentó describir a Jesús caminando entre siete candeleros de oro (*símbolo de las siete iglesias a quienes se destinaban las cartas*). Jesús usaba una ropa que llegaba hasta los pies (*mostrando su dignidad*), con una faja de oro alrededor del pecho. Sus cabellos eran muy blancos, y los ojos brillaban como fuego (*mostrando cuán penetrante era la mirada de Jesús*). Los pies brillaban como bronce que fue pasado por el fuego y después pulido.
Su voz parecía el ruido de una gran cascada. Su rostro brillaba como el sol del mediodía. En la mano derecha (*mostrando que él tiene poder)* tenía siete estrellas (*simbolizando los mensajeros enviados a las siete iglesias*), y de su boca salía una espada afilada de ambos lados (*símbolo de la autoridad de Jesús como Juez*).

Las promesas de Jesús a los victoriosos

(Apocalipsis 2 y 3)

Para cada iglesia Jesús tenía una promesa. Para la Iglesia de Éfeso, que representa el periodo del primer siglo de la era cristiana, él dijo: "Al vencedor le daré que se alimente del árbol de la vida que se encuentra en el paraíso de Dios".

A la Iglesia de Esmirna, que representa el periodo del año 100 después de Cristo hasta más o menos el año 313, durante el cual el pueblo de Dios fue cruelmente perseguido, Jesús dijo:

"El vencedor no sufrirá, de ninguna manera, el daño de la segunda muerte".

La Iglesia de Pérgamo representa el tiempo en que los cristianos dejaron de ser perseguidos y permitieron que el paganismo se mezclara con el cristianismo. A esta Iglesia Jesús dijo: "Al vencedor le daré del maná escondido, y también una piedrecita blanca, y sobre esa piedrecita escrito un nombre nuevo, el cual nadie conoce, excepto aquel que lo recibe".

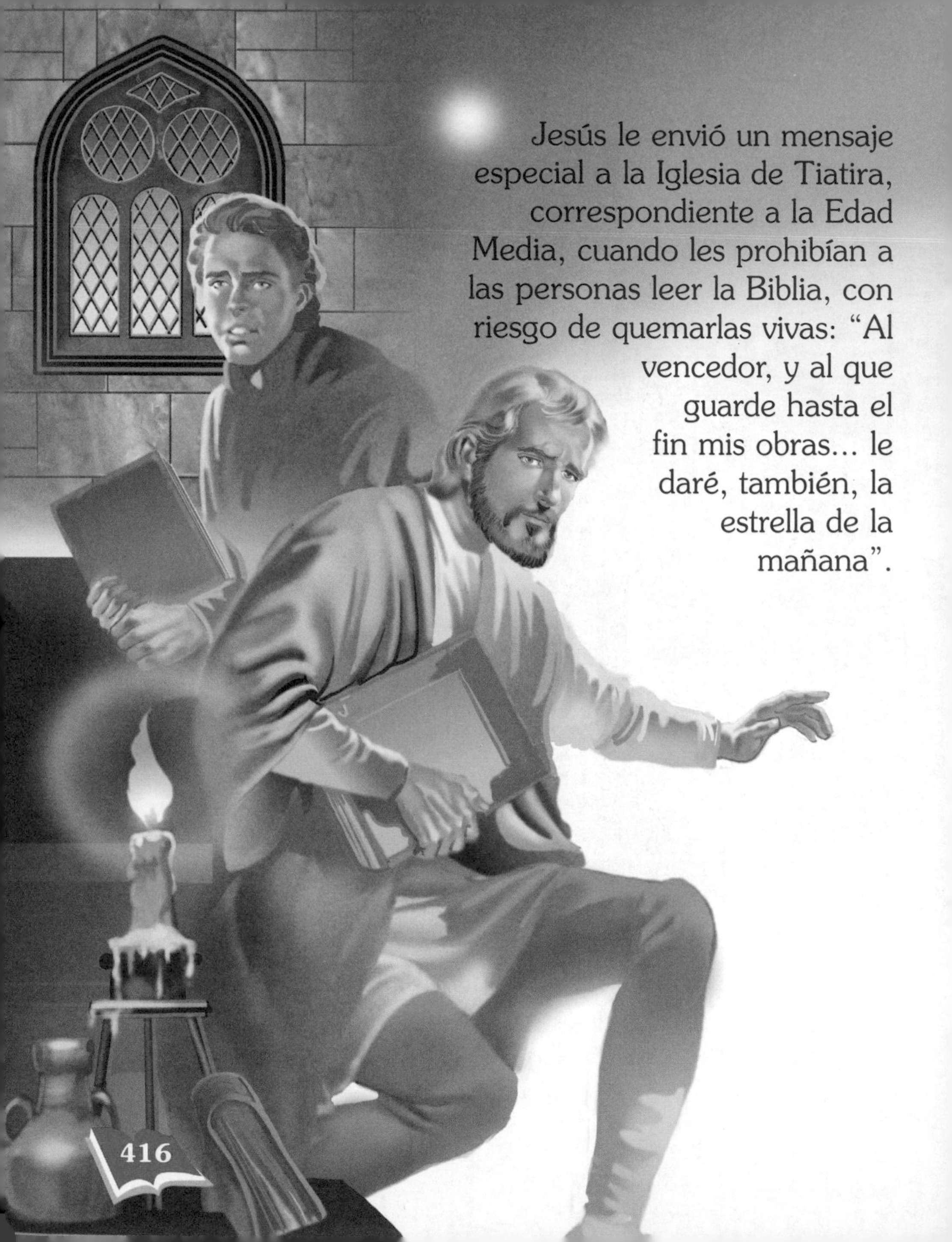

Jesús le envió un mensaje especial a la Iglesia de Tiatira, correspondiente a la Edad Media, cuando les prohibían a las personas leer la Biblia, con riesgo de quemarlas vivas: "Al vencedor, y al que guarde hasta el fin mis obras... le daré, también, la estrella de la mañana".

Para la Iglesia de Sardis, que corresponde a la época de los grandes reformadores, luego de la Edad Media, Jesús dijo: “El vencedor será así vestido de vestiduras blancas, y de ningún modo borraré su nombre del libro de la vida; por el contrario, confesaré su nombre delante de mi Padre y delante de sus ángeles”.

La Iglesia de Filadelfia corresponde al periodo en que el pueblo despertó hacia la verdad bíblica de la segunda venida de Jesús. A esa Iglesia Jesús le dijo: "Al vencedor lo haré columna en el santuario de mi Dios... también grabaré sobre él el nombre de mi Dios... y mi nuevo nombre".

La Iglesia de Laodicea corresponde al periodo en que vivimos hoy. Es un tiempo en que las personas se enorgullecen de la verdad que conocen pero no se entregan a Dios. A nosotros Jesús nos dice: "Al vencedor le haré sentarse conmigo en mi trono, así como también yo vencí, y me senté con mi Padre en su trono".

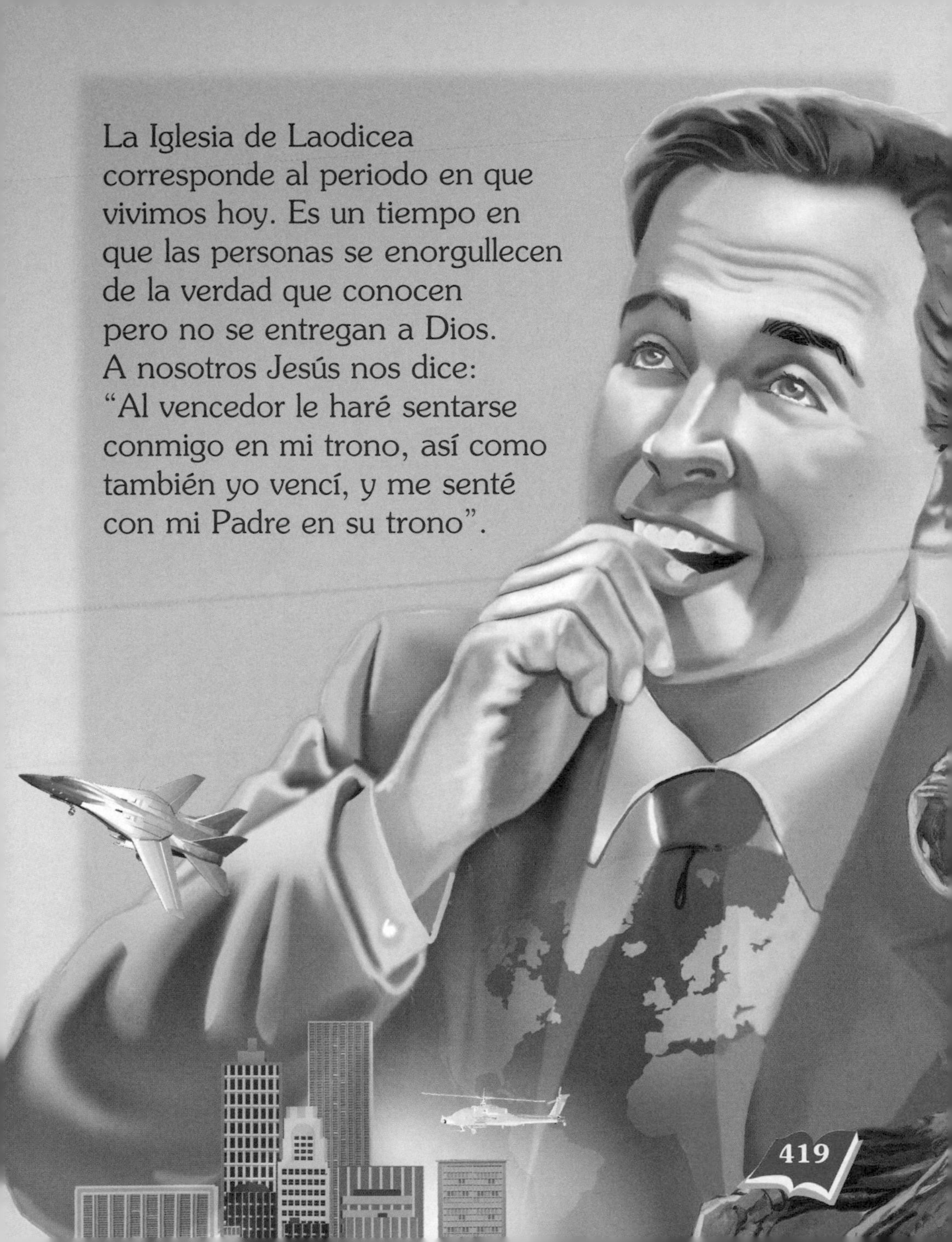

Al pueblo de la Iglesia de Laodicea Jesús también le dice: “He aquí, yo estoy a la puerta y llamo; si alguno oye mi voz y abre la puerta, entraré a él, y cenaré con él, y él conmigo”. Él quiso decir que desea ser parte de nuestra vida y que sólo está esperando que lo invitemos a entrar.

El libro sellado
(Apocalipsis 4-6; 8:1-5)

Entonces Juan vio una puerta abierta en el Cielo y escuchó una voz invitándolo a que entrara y viera lo que había del otro lado. Él vio el trono de Dios y alrededor de él un arco iris que parecía una esmeralda.

Alrededor del trono él vio veinticuatro tronos con veinticuatro personas sentadas en ellos. Estaban vestidos de blanco y tenían coronas de oro en la cabeza.

En ese escenario glorioso Juan notó cuatro criaturas muy extrañas. Una se parecía a un león (el rey de los animales), otra a un buey (que vive para servir al hombre), otra a un hombre (Jesús vino para ser un Hombre) y otra a un águila (símbolo de la divinidad de Jesús). Esas criaturas eran símbolos de Jesús.

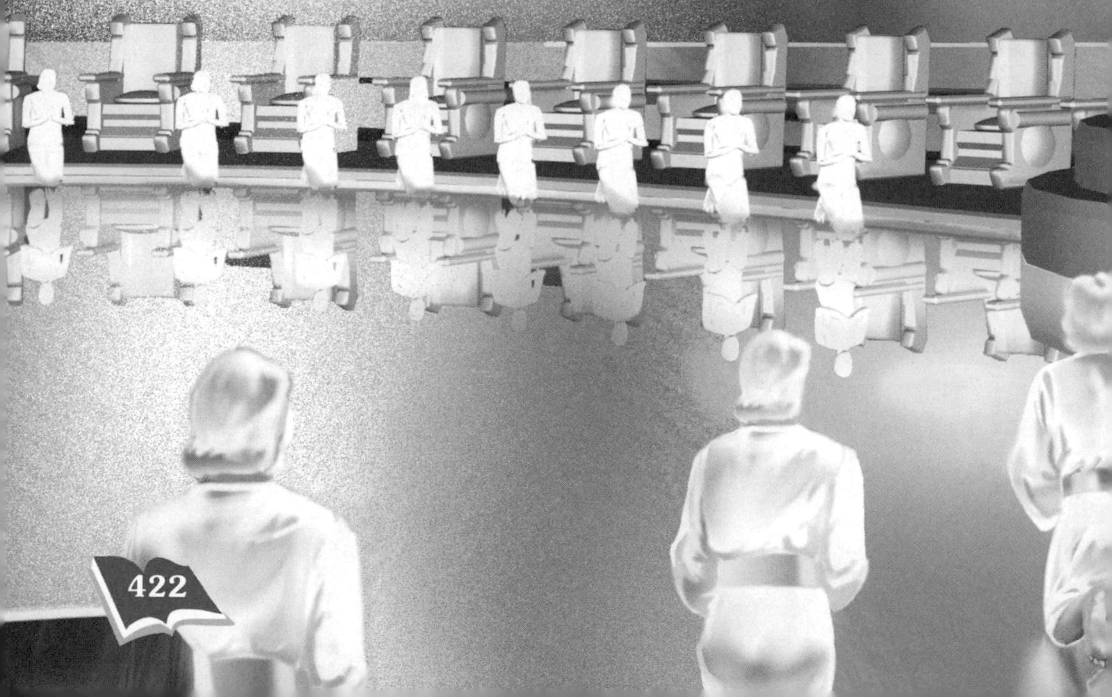

J. Cord

Juan vio un libro cerrado con siete sellos en las manos del que estaba sentado en el trono. Aquel libro estaba relacionado con nuestra salvación. Juan quería mucho abrirlo para ver qué tenía, pero no podía. Juan empezó a llorar porque el libro tenía que quedar cerrado.

—No llores, Juan —él escuchó a una voz decir—. Ahí está el León de la tribu de Judá, la Raíz de David, que resultó victorioso para abrir el libro y sus siete sellos.

Cuando Juan miró, en vez de un león vio un Cordero que parecía muerto. Ese Cordero simbolizaba a Jesús.

Cuando el Cordero tomó el libro para abrirlo, las personas que estaban sentadas en los veinticuatro tronos se inclinaron y cantaron: "Digno eres de tomar el libro y de abrir sus sellos; porque tú fuiste inmolado, y con tu sangre nos has redimido para Dios de todo linaje y lengua y pueblo y nación..."

Millones y millones de ángeles se unieron al coro de las veinticuatro personas y cantaron: "El Cordero que fue inmolado es digno de tomar el poder, las riquezas, la sabiduría, la fortaleza, la honra, la gloria y la alabanza". Las personas que estaban en los tronos se inclinaron nuevamente y junto con los ángeles adoraron a Jesús, el Cordero de Dios.

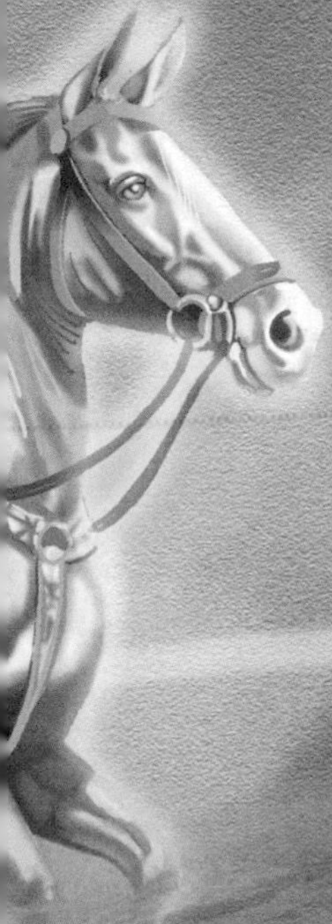

Entonces el Cordero empezó a abrir el libro. Cuando él abrió el primer sello, Juan vio a Jesús montado en un caballo blanco, sosteniendo un arco, con una corona en la cabeza. El caballo blanco simbolizaba la iglesia del tiempo de los apóstoles, diseminando el evangelio por todo el Imperio Romano.

Cuando Jesús abrió el segundo sello, apareció un caballo rojo y su caballero tenía una espada grande en la mano. Con ella él sacó "la paz de la Tierra". En el tercer sello apareció un caballo negro, y su caballero llevaba una balanza en la mano. En el cuarto sello apareció un caballo amarillo, y su caballero se llamaba Muerte, y la sepultura iba detrás de él. Él podía matar a las personas con espada, hambre, enfermedades y animales salvajes.

Esos caballos eran
símbolos de la historia.
Cada uno representando
una época. Como en
las cartas de Jesús a las
iglesias, ellos mostraban
la situación de la iglesia
en un período de más
o menos mil quinientos
años. Desde la pureza
de su surgimiento,
hasta cuando ella pasó
a perseguir y matar
a quienes no querían
seguir sus órdenes.

El quinto sello fue abierto. Juan vio cómo fueron muertos los que amaban a Jesús. A ellos Jesús les dijo que descansaran un poco más, hasta que se completara el número de ellos. Luego recibirían su recompensa.

En el sexto sello Juan vio un terrible terremoto. Vio estrellas cayendo del cielo sobre la Tierra, el Sol ponerse oscuro y la Luna ponerse roja como sangre. Él vio el cielo enrollarse como una hoja de papel, y personas, con miedo, pidiendo que las montañas cayeran sobre ellos para no ver a Jesús regresando.

En 1755 Lisboa sufrió uno de los peores terremotos de la historia. El Sol se oscureció el 19 de mayo de 1780, y en la noche de ese mismo día la Luna se puso roja. La lluvia de estrellas ocurrió la noche del 13 de noviembre de 1833. Sólo faltan cumplirse las últimas escenas de la profecía.

Entonces el Cordero abrió el último sello. El séptimo. Al hacer eso, el Cielo quedó en total silencio por más o menos media hora. Es que Jesús y todos los habitantes del Cielo salieron para buscar a sus salvados en la Tierra. Esta profecía pronto, pronto, se cumplirá. ¿Te estás preparando?

El sello de Dios
(Apocalipsis 7:1-3)

Antes que Jesús regrese, él enviará a un ángel a marcar a quienes le entregaron la vida. Si tú amas a Dios de todo tu corazón, alma, entendimiento y fuerza, y también amas a tu prójimo como a ti mismo, sin duda Jesús pondrá su sello en ti para separarte para la salvación.

El mensaje de los tres ángeles
(Apocalipsis 14:6-12)

Juan vio a tres ángeles volando por el cielo. Esos ángeles representan a las personas que hablan de Jesús en estos últimos días. El primero tenía el evangelio eterno para anunciarlo a todos los habitantes de la Tierra. Él decía: "Respeten a Dios y denle gloria, porque la hora de su juicio ha llegado".

El segundo decía: "¡Cayó, cayó la gran Babilonia!" Y el tercero venía luego, diciendo a gran voz: "¡Dios destruirá a los que adoran a la bestia y reciben su marca en la frente o en la mano!"

Babilonia y la Bestia son un poder que quiere alejar a las personas de Dios, y también será destruido.

Pero así como Dios señala a sus hijos, Satanás también señala a los suyos. Sólo que la señal de Dios es la obediencia a sus mandamientos, y la de Satanás es la desobediencia.

Después de
la visión
de los tres
ángeles,
Juan vio, a
lo lejos, una
nube blanca.
Cuando ella
se aproximó, él
vio a Jesús sentado
sobre la nube con una
corona en la cabeza y una
hoz aguda en la mano. La
hoz simboliza la cosecha.
Esto quiere decir que llegó la
hora de cosechar a sus hijos
y llevarlos al Cielo.

Los victoriosos y las plagas

(Apocalipsis 15 y 16)

Juan vio algo parecido con un mar. Era de vidrio mezclado con fuego. Debía ser muy transparente y brillante. De pie, sobre el mar, él vio a quienes Jesús llevará al Cielo: los que vencieron a Babilonia y la Bestia. Ellos cantaban alabanzas a Jesús por la salvación que él les había dado.

Juan vio que, antes que Jesús regresara para buscar a sus hijos vencedores, Dios mandará a siete ángeles para que derramen sus copas sobre la Tierra. Copas llenas de la ira de Dios. La paciencia que él había tenido con los malos habrá terminado. Pero esto sólo ocurriría después que los hijos de Dios estuvieran sellados.

El milenio
(Apocalipsis 20)

Jesús había regresado y llevado al Cielo a quienes recibieron su sello. Los amigos de Satanás murieron con el regreso de Jesús. No había nadie más en la Tierra para que Satanás tentara. Juan vio que él quedará atado a este mundo durante mil años. Él tendrá mucho tiempo para pensar en lo que ha hecho.

Durante esos mil años los salvos reinarán con Jesús en el Cielo, y juzgarán, por los libros de Dios, los hechos de los que no se entregaron a Jesús. Pasados los mil años, Jesús y los salvos regresarán a la Tierra y los malos resucitarán. Entonces Satanás será suelto; es decir, tendrá, nuevamente, a quien tentar.

Satanás les dirá a sus seguidores que ellos podrían hacerle guerra a la ciudad de Dios, que bajara con Jesús y los salvos. Entonces ellos marcharán contra la ciudad. En ese momento ellos verán a Jesús en el trono. Los libros de Dios se abrirán y empezará el juicio final. Después de esto, Satanás, sus seguidores y la muerte serán todos destruidos.

Un nuevo cielo y una nueva Tierra

(Apocalipsis 21)

¡Cuántas cosas tristes vio Juan! Pero ahora la escena cambiaba. Él vio un nuevo cielo y una nueva Tierra. Vio la Nueva Jerusalén, toda adornada para recibir a los seguidores de Jesús. Terminó la tristeza, el llanto y la muerte. Jesús prometió que el vencedor obtendrá todo eso de regalo.

Luego Jesús llevó a Juan a la cima de una montaña y le mostró la Nueva Jerusalén. Era una ciudad muy grande, con formato cuadrado, rodeada por un muro cuyos fundamentos eran de piedras preciosas muy coloridas y brillantes. Los doce portones de la ciudad estaban hechos de perlas.

La ciudad tenía una plaza de oro puro, como vidrio transparente. Juan no vio ningún templo, porque ella misma era el Templo, pues Dios y Jesús vivían en ella. No había necesidad de luz del sol, porque la luz de Dios y de Jesús iluminaba todo.

¡Ven, Señor Jesús!
(Apocalipsis 22)

Entonces Juan vio un río. Era el río de la vida, brillante como cristal, que salía del trono de Dios y de Jesús. Pasaba por el medio de la plaza de oro, y a uno y otro margen él vio el árbol de la vida, que da doce frutos diferentes; un fruto para cada mes del año. Y sus hojas servían para dar salud a los salvos.

Finalmente, Jesús le dijo a Juan:
—Estoy diciendo la verdad. Yo vengo pronto. Felices los que obedecen lo que está escrito en este libro.

Y Juan, ya con nostalgias, exclamó:
—¡Amén! ¡Ven, Señor Jesús!

J. Card